RECETAS SABROSAS
Cocina italiana

Penny Stephens

Copyright © 2004 de la edición española:
Parragon
Traducción del inglés: Montserrat Ribas
para Equipo de Edición, S.L., Barcelona
Redacción y maquetación:
Equipo de Edición, S.L., Barcelona

Impreso en China

ISBN: 1-40542-557-1

Nota

Una cucharada equivale a 15 ml. Si no se indica otra cosa,
la leche será entera, los huevos, de tamaño medio (n° 3),
y la pimienta, pimienta negra molida.

Las recetas que llevan huevo crudo o muy poco cocido
no son indicadas para los niños muy pequeños,
los ancianos, las mujeres embarazadas, las personas
convalecientes y cualquiera que sufra alguna enfermedad.

Sumario

Introducción

Piamonte

La comida de esta región es sustanciosa, de estilo campestre. Es aquí donde se encuentran las caras y aromáticas trufas blancas. Las trufas se pueden rallar o cortar en finas virutas y forman parte de muchos de los platos más sofisticados. Existen abundantes setas silvestres en toda la región. El ajo es un ingrediente muy usual en las recetas, y por otro lado se consume más cantidad de polenta, ñoquis y arroz que de pasta. Estos alimentos se suelen servir como entrante, en el lugar de la sopa. En esta zona también se encuentra una gran variedad de platos de carne procedente de la caza.

Lombardía

Milán es el lugar de origen del delicioso risotto que lleva el nombre de la ciudad y también del soufflé milanés condimentado con mucho limón.
Los platos de ternera, como el *vitello tonnato* y el *osso buco*, son especialidades de la zona, y otros excelentes platos de carne, como los asados, figuran habitualmente en su menú. Los lagos de la región son una buena fuente de pescado fresco. El arroz y la polenta son muy populares, pero también cuentan con una enorme variedad de platos de pasta. El famoso dulce llamado *panettone* es originario de esta zona.

Trentino-Alto Adigio

En esta región suelen tomar alimentos básicos y sustanciosos, entre los que figura el pescado. En la zona de Trentino son especialmente populares los platos de pasta y carne, mientras que en el Adigio prefieren las sopas y los asados, a los que añaden a menudo albóndigas y salchichas picantes.

Véneto

El ingrediente más popular de la región es la polenta. La pasta, en cambio, no es tan habitual. Los ñoquis y el arroz son muy apreciados en general. El pescado, especialmente el marisco, es abundante y constituye la base de muchas ensaladas. También cuentan con excelentes sopas y risottos.

Liguria

En toda la Riviera italiana se pueden encontrar excelentes *trattorias* donde preparan sorprendentes platos de pescado condimentados con el aceite de oliva local. La salsa pesto, con albahaca, queso y piñones, procede de esta zona, al igual que otras magníficas salsas.

Emilia-Romaña

Los tortellini y la lasaña figuran en lugar prominente en los menús de la zona, así como muchos otros platos de pasta. El *saltimbocca* y otros guisos de ternera también son muy frecuentes en esta región. Parma es famosa por su jamón, el *prosciutto di Parma*, considerado el mejor del mundo. El vinagre balsámico también se produce aquí.

Toscana

La Toscana tiene de todo: una excelente zona costera que cuenta con espléndidos pescados, colinas cubiertas de viñedos y fértiles llanuras donde crece todo tipo de verduras y frutas imaginables. Existe una abundante caza con la que se pueden preparar interesantes recetas; la tripa cocinada en una espesa salsa de tomate es popular, así como numerosas recetas de ternera e hígado; las judías se consumen en abundancia, junto con asados, bistecs y suculentas sopas. Florencia tiene una enorme variedad de especialidades, mientras que Siena cuenta con el famoso pastel de frutas confitadas, el llamado *panforte di Siena*.

Umbría y las Marcas

El interior de Umbría es conocido por su carne de cerdo, y el carácter de su cocina viene dado por el uso de ingredientes frescos locales, como el cordero, la carne procedente de la caza y el pescado de sus lagos. En general preparan la carne asada y a la parrilla, que suelen aliñar con el excelente aceite de oliva local. Las trufas negras, las aceitunas, la fruta y las hierbas aromáticas son abundantes y figuran en muchas recetas. En la región de las Marcas, en especial en la frontera con Umbría, preparan unas fantásticas salchichas y cerdo curado. La pasta aparece en todos los menús de la región.

Lazio

En esta zona cuentan con numerosos platos de pasta con salsas deliciosas, ñoquis de formas variadas y una gran abundancia de platos con cordero y ternera, así como una enorme oferta de carnes, todas ellas preparadas con hierbas y condimentos, lo que propicia unos sabores muy intensos y unas salsas deliciosas. Además, cuentan con un espléndido surtido de verduras y frutas; las alubias se usan en las sopas y en muchos otros platos.

Abruzos y Molise

La cocina de esta área está profundamente enraizada en la tradición, con jamones y quesos procedentes de las zonas montañosas, sabrosas salchichas con mucho ajo y otros condimentos, embutidos y un maravilloso surtido de pescado y marisco. También es popular el cordero: tierno, jugoso y bien sazonado con hierbas.

Campania

Nápoles es la cuna de los platos de pasta, que sirven con espléndidas y variadas salsas de tomate. Se dice que la pizza fue también inventada en Nápoles. Abunda en general el pescado, y dos de los platos favoritos son el *fritto misto* y el *fritto pesce*. Los pescados guisados resultan suculentos y variados, y suelen acompañar algunos platos de pasta con marisco. Las chuletas y los bistecs son excelentes y se sirven con salsas de fuerte sabor condimentadas con ajo, tomate y hierbas. El llamado bistec *pizzaiola* es uno de los más apreciados. La mozzarella es de producción local y una de sus variedades es la crujiente *mozzarella in carozza*, de nuevo servida con una salsa de tomate y ajo. También son populares los dulces, elaborados con pasta de hojaldre y queso ricota. Las frutas de temporada se preparan con vino o licor.

Apulia

La tierra de esta región es pedregosa, pero produce buena fruta, aceitunas, verduras y hierbas aromáticas, y por supuesto el mar brinda una cantidad abundante de marisco. Muchos de sus excelentes platos de pasta son exclusivos de la zona, tanto por su forma como por los ingredientes que llevan. Las setas son muy populares y se utilizan mucho en las pizzas. Las ostras y los mejillones son abundantes, así como el pulpo. Brindisi es famoso por su marisco: tanto las ensaladas de marisco como los risottos son realmente inolvidables.

Basilicata

En esta región se producen vinos de elevada graduación que acompañan una suculenta cocina que tiene como base la pasta, el cordero, el cerdo, la caza y los productos lácteos. Los salamis y los embutidos son excelentes, al igual que el jamón. La carne de cordero se sazona con hierbas de todo tipo. En la zona de montaña se preparan unas suculentas sopas espesas, como la minestrone. En los lagos abundan las anguilas y el pescado. En esta región se cultiva la guindilla, que forma parte de muchas de las recetas locales.

Calabria

Es la zona del extremo meridional de la península Itálica. Allí crecen, junto a naranjales y limonares, un gran número de árboles frutales y profusión de verduras, como por ejemplo las berenjenas, que se preparan de distintas y muy variadas maneras. El pollo, el conejo y la pintada suelen aparecer en la gran mayoría de menús, al igual que las pizzas, que a menudo incorporan algún tipo de pescado o de marisco. Existe una gran abundancia de setas en Calabria, que aparecen en muchos platos, desde salsas y estofados hasta ensaladas. La pasta suele acompañar con una gran variedad de salsas, que a menudo incorporan pequeñas alcachofas, huevo, carne, queso, verduras mixtas, salchichas, pimientos de la región y, por supuesto, ajo. Muchos postres y pasteles llevan anís, miel y almendras, así como higos, que crecen en abundancia en esta región.

Sicilia

Es la isla más grande del Mediterráneo y la base de su cocina es la verdura y el pescado. Cuenta con una muy variada gama de sopas, estofados y ensaladas de pescado, que pueden incorporar atún, pez espada, mejillones y muchos otros tipos de pescado o marisco. Se cultivan cítricos en abundancia, así como almendras y pistachos, y los vinos locales, incluyendo el vino dulce de Marsala, son muy apreciados. La carne se suele preparar mediante una cocción lenta y prolongada, y antes de cocinarla a veces se pica y se le da alguna forma determinada. En Sicilia abunda también la caza, a menudo acompañada de salsas agridulces que llevan aceitunas negras. La pasta en general se suele acompañar con salsas originales, además de las ya tradicionales. A los sicilianos les encantan los postres, los pasteles y sobre todo los helados. La *cassata* y otros tipos de helado procedentes de Sicilia se han hecho famosos en el mundo entero.

Cerdeña

El plato nacional de Cerdeña es el cochinillo o el cordero lechal, aunque también son muy populares el conejo y la caza, así como una gran variedad de platos de carne. El pescado es de excelente calidad, y abundan la lubina, las langostas, el atún, los salmonetes, las anguilas y los mejillones. El mirto, una hierba aromática de la región, se añade prácticamente a todos los platos, desde el pollo hasta los licores locales. Sin duda, su peculiar sabor quedará grabado en la memoria de quienes hayan podido disfrutar de él como un agradable recuerdo de su estancia en la isla.

Primeros platos y tentempiés

Las sopas son una parte importante de la cocina italiana.
Varían en consistencia, desde delicados y ligeros primeros
platos hasta suculentas sopas que constituyen una comida
completa. Aunque algunas se presentan en forma de puré,
los ingredientes nunca pierden su delicioso sabor.

Antipasto *significa "antes del plato principal", y puede ser*
sencillo o muy sofisticado y llevar tanto carne y pescado como
verduras. Existen muchas variedades de embutidos, entre
ellos el jamón, que siempre se sirve cortado en lonchas
finas como el papel. A los italianos les gusta el pescado
de todo tipo, y las sardinas frescas gozan de una especial
popularidad. Las verduras se cuecen al dente para que no
queden demasiado blandas, retengan más elementos
nutritivos y conserven su atractivo color.

Puede jugar con las combinaciones de color, ya que abundan
los pimientos, los tirabeques y las mazorquitas de maíz. Aliñe
las ensaladas con ingredientes tradicionales, como el aceite de
oliva virgen extra y el vinagre balsámico, y aliñe con ellos
quesos italianos como el parmesano y el pecorino.

Este capítulo también contiene una gama de deliciosos platos
para acompañar que complementarán su comida principal.
Sea lo que sea lo que esté buscando, seguro que encuentra algo
para tentar su paladar entre estas deliciosas recetas.

Sopa toscana de alubias

Para 4 personas

INGREDIENTES

225 g de alubias secas mantecosas,
dejadas en remojo toda la
noche, o bien latas de 420 g
de alubias mantecosas

1 cucharada de aceite de oliva
2 dientes de ajo machacados
1 pastilla de caldo de verduras o de
pollo, desmenuzado
sal y pimienta

150 ml de leche
2 cucharadas de orégano fresco
picado

1 Si utiliza alubias secas, que habrá dejado en remojo toda la noche, escúrralas bien. Lleve una cazuela grande con agua a ebullición, añada las alubias y hiérvalas 10 minutos. Cubra la cazuela y déjela a fuego lento 30 minutos o hasta que las alubias estén tiernas. Escúrralas y reserve el líquido de cocción. Si las utiliza en conserva, escúrralas bien y reserve el líquido de las latas.

2 Caliente el aceite en una sartén grande y fría el ajo 2-3 minutos o hasta que empiece a dorarse.

3 Agregue las alubias y 400 ml del líquido reservado sin dejar de remover. Puede que necesite añadir un poco de agua en caso de que no haya suficiente líquido. Añada la pastilla de caldo y llévelo a ebullición. Retire la sartén del fuego.

4 Ponga la mezcla de alubias en una picadora y bata hasta obtener un puré suave. También puede triturarlas manualmente; procure que la mezcla tenga una consistencia suave. Salpimente a su gusto y agregue la leche.

5 Vuelva a poner la sopa en la sartén y caliéntela sin que llegue a hervir. Añada el orégano picado justo antes de servirla.

VARIACIÓN

Si lo prefiere utilice 3 cucharaditas de orégano seco en lugar de fresco; añádalo a las alubias en el paso 3. También puede preparar esta sopa con alubias cannelini o borlotti.

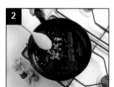

Sopa de lentejas con pasta

Para 4 personas

INGREDIENTES

4 lonchas de beicon cortado en
cuadraditos pequeños
1 cebolla picada
2 dientes de ajo machacados
2 tallos de apio picados

50 g de lacitos o espaguetis
troceados
1 lata de lentejas de 420 g,
escurridas

1,2 litros de caldo de jamón
o de verduras
2 cucharadas de menta fresca
picada

1 Ponga el beicon en una
sartén grande con la
cebolla, el ajo y el apio.
Saltee unos 4-5 minutos,
removiendo, hasta que la
cebolla esté tierna y el
beicon empiece a dorarse.

2 Añada los lacitos o los
espaguetis troceados
a la sartén y remueva
durante 1 minuto para
impregnar bien la pasta
con el aceite.

3 Incorpore luego las
lentejas y el caldo,
y llévelo a ebullición.
Reduzca la temperatura
y déjelo a fuego suave

durante 12-15 minutos
o hasta que la pasta esté
cocida.

4 Retire la sartén del
fuego y añada la menta
fresca picada.

5 Pase la sopa a cuencos
individuales calentados
y sírvala inmediatamente.

VARIACIÓN

*Puede utilizar cualquier tipo de
pasta para esta receta, como
espirales, conchas o rigatoni.*

SUGERENCIA

*Si prefiere utilizar lentejas
secas, añada el caldo antes
que la pasta y déjelas cocer
1-1 1/2 horas hasta que estén
tiernas. A continuación
incorpore la pasta y cuézalo
10-12 minutos más.*

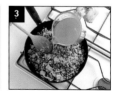

Sopa de verduras con alubias blancas

Para 4 personas

INGREDIENTES

1 berenjena pequeña	850 ml de caldo caliente	50 g de fideos finos
2 tomates grandes	2 cucharaditas de albahaca seca	3 cucharadas de pesto casero
1 patata pelada	10 g de setas *porcini*, dejadas	(véase pág. 110) o comprado
1 zanahoria pelada	10 minutos en remojo con la	ya preparado
1 puerro	suficiente agua caliente para	queso parmesano recién rallado,
1 lata de 420 g de alubias blancas	recubrirlas	para servir (opcional)

1 Corte primero la berenjena en rodajas de unos 10 mm de grosor y luego cada rodaja en cuatro trozos.

2 Corte los tomates y la patata en dados pequeños. Corte la zanahoria en tiras de unos 2,5 cm de largo y el puerro en rodajas.

3 Ponga las alubias y su jugo en una cazuela grande. Añada la berenjena, el tomate, la patata, la zanahoria y el puerro, removiendo para mezclarlos.

4 Agregue el caldo a la cazuela y llévelo a ebullición. Reduzca la temperatura y cuézalo a fuego lento 15 minutos.

5 Añada la albahaca, las setas secas, el líquido del remojo y los fideos, y siga cociéndolo a fuego lento 5 minutos o hasta que todas las verduras estén tiernas.

6 Retire la cazuela del fuego y añada el pesto.

7 Sirva la sopa con queso parmesano, si lo desea.

SUGERENCIA

Las setas porcini *son silvestres y crecen en el sur de Italia. Se dejan secar y cuando se rehidratan tienen un sabor intenso. Aunque son caras, sólo necesita una pequeña cantidad para dar más sabor y gusto a sus sopas o risottos.*

Sopa de tomate cremosa

Para 4 personas

INGREDIENTES

50 g de mantequilla	850 ml de caldo de verduras caliente	2 cucharadas de hojas de albahaca cortadas en tiras finas
700 g de tomates maduros, preferiblemente tipo pera, picados gruesos	150 ml de leche o nata líquida	sal y pimienta
	50 g de almendras molidas	
	1 cucharadita de azúcar	

1 Derrita la mantequilla en una cazuela grande. Añada los tomates y fríalos 5 minutos, hasta que la piel empiece a arrugarse. Salpimente a su gusto.

2 Agregue el caldo, llévelo a ebullición, cúbralo y déjelo a fuego lento 10 minutos.

3 Entretanto, tueste ligeramente las almendras molidas bajo el grill hasta que estén doradas. El proceso tardará tan sólo 1-2 minutos, así que no deje de vigilarlas.

4 Retire la sopa del fuego, pásela a una batidora y bátala hasta que tenga una consistencia suave. También puede hacerlo con un triturador manual.

5 Cuele la sopa para eliminar los restos de la piel y las pepitas del tomate.

6 Ponga la sopa en la cazuela y vuélvala a dejar en el fuego. Agregue la leche o la nata líquida, la almendra molida y el azúcar. Caliente bien la sopa y añada la albahaca justo antes de servirla.

7 Pase la sopa de tomate cremosa a cuencos individuales calentados y sírvala caliente.

VARIACIÓN

Puede utilizar pan rallado en lugar de la almendra molida. Tuéstelo y añádalo junto con la leche o la nata líquida en el paso 6.

Sopa de cebolla a la toscana

Para 4 personas

INGREDIENTES

50 g de panceta cortada
  en dados
1 cucharada de aceite de oliva
4 cebollas blancas grandes,
  cortadas en aros muy finos

3 dientes de ajo picados
850 ml de caldo caliente de pollo
  o de jamón
4 rebanadas de chapata o de
  algún otro pan italiano

50 g de mantequilla
75 g de queso gruyer
  o parmesano
sal y pimienta

1 Fría la panceta sin aceite en una cazuela grande durante unos 3-4 minutos o hasta que empiece a dorarse. Retírela de la cazuela y resérvela hasta que la necesite.

2 Añada el aceite, y fría la cebolla y el ajo a fuego vivo unos 4 minutos. Reduzca la temperatura y déjelos 15 minutos hasta que estén caramelizados.

3 Agregue el caldo y llévelo a ebullición. Baje la temperatura y déjelo cocer a fuego lento, cubierto, unos 10 minutos.

4 Tueste en la parrilla precalentada las rebanadas de chapata por ambos lados durante unos 2-3 minutos o hasta que estén bien doradas. Unte entonces las rebanadas con mantequilla y ponga encima el queso gruyer o parmesano. Corte el pan en trocitos del tamaño de un bocado.

5 Añada la panceta reservada a la sopa y salpimente a su gusto. Sirva entonces la sopa en 4 boles individuales, añadiendo el pan tostado.

SUGERENCIA

La panceta es similar al beicon, pero se cura al aire libre y con sal durante unos 6 meses. La encontrará en tiendas especializadas y en algunos supermercados. Si no es así, sustitúyala por beicon.

Sopa verde

Para 4 personas

INGREDIENTES

1 cucharada de aceite de oliva
1 cebolla picada
1 diente de ajo picado
200 g de patatas, peladas y
    cortadas en dados de 2,5 cm

700 ml de caldo de verduras o de
    pollo
1 pepino pequeño o pepino
    grande, troceado
80 g de berros

125 g de judías verdes finas,
    con las puntas recortadas
    y partidas por la mitad
sal y pimienta

1 Caliente el aceite en una cazuela grande y sofría la cebolla y el ajo 3-4 minutos o hasta que se ablanden. Añada los dados de patata y siga rehogándolo otros 2-3 minutos.

2 Agregue el caldo, llévelo a ebullición y cuézalo a fuego lento 5 minutos.

3 Incorpore el pepino a la cazuela y déjelo cocer 3 minutos o hasta que la patata esté tierna. Lo puede comprobar pinchando un dado con la punta de un cuchillo.

4 Añada los berros y deje que se ablanden. Bata la sopa en una batidora hasta que esté suave. También puede hacerlo con un triturador manual, justo antes de añadir los berros, y después colar la sopa. A continuación, pique los berros bien finos y añádalos.

5 Lleve un cazo con agua a ebullición y hierva las judías verdes 3-4 minutos o hasta que estén tiernas.

6 Al final, agregue las judías verdes a la sopa, salpimente a su gusto y caliéntelo todo.

VARIACIÓN

Pruebe a utilizar 125 g de tirabeques en lugar de judías verdes, si lo prefiere.

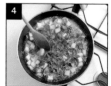

Sopa de alcachofas

Para 4 personas

INGREDIENTES

1 diente de ajo machacado	150 ml de nata líquida	2 tomates secados al sol,
2 latas de 400 g de corazones	2 cucharadas de tomillo fresco,	cortados en tiras
de alcachofa, escurridos	sin los tallos	1 cebolla picada
600 ml de caldo de verduras		1 cucharada de aceite de oliva

1 Caliente el aceite en una cazuela grande y fría la cebolla y el ajo hasta que se hayan ablandado.

2 Con un cuchillo afilado pique las alcachofas en trozos no demasiado pequeños. Póngalos en la cazuela con el ajo y la cebolla, y a continuación agregue el caldo de verduras, sin dejar de remover.

3 Llévelo a ebullición, reduzca la temperatura y déjelo cocer a fuego lento unos 3 minutos.

4 Ponga la mezcla en una batidora y bátala hasta lograr una textura suave. Otra opción es colarla, para eliminar posibles grumos.

5 A continuación, vuelva a poner de nuevo la sopa en la cazuela y añada entonces la nata líquida y el tomillo.

6 Pase la sopa a una sopera, tápela y déjela enfriar en la nevera durante 3-4 horas.

7 Sirva la sopa fría en cuencos individuales y adórnela con tiras de tomate secado al sol y pan fresco.

VARIACIÓN

Si lo desea puede añadirle a la sopa 2 cucharadas de vermut seco, como por ejemplo Martini, en el paso 5.

Sopa de calabaza, naranja y tomillo

Para 4 personas

INGREDIENTES

2 cucharadas de aceite de oliva
2 cebollas medianas picadas
2 dientes de ajo picados
900 g de calabaza, pelada y
    cortada en trozos de 2,5 cm

1,5 litros de caldo hirviendo, de
    verduras o de pollo
la ralladura fina y el zumo de
    1 naranja

3 cucharadas de tomillo fresco,
    sin los tallos
150 ml de leche
sal y pimienta
pan crujiente, para servir

1 Caliente el aceite de oliva en una cazuela grande y fría la cebolla 3-4 minutos o hasta que se ablande. Añada el ajo y la calabaza y déjelo 2 minutos más, sin dejar de remover.

2 Agregue el caldo de verduras o de pollo hirviendo, la ralladura y el zumo de la naranja y 2 cucharadas de tomillo. Cúbralo y déjelo a fuego lento 20 minutos, o hasta que la calabaza esté tierna.

3 Bata la mezcla en la batidora hasta obtener una textura suave. Si lo prefiere, también puede hacerlo con un triturador manual. Salpimente a su gusto.

4 Vuelva a poner la sopa en la cazuela y agregue la leche. Recaliente la sopa 3-4 minutos o hasta que esté muy caliente, pero sin que llegue a hervir. Espolvoréela con el resto de tomillo fresco justo antes de servirla.

5 Sirva la sopa en 4 boles o cuencos individuales previamente calentados, con abundante pan crujiente.

SUGERENCIA

Las calabazas suelen tener un tamaño considerable. Pida en la verdulería que le vendan sólo un trozo. Como alternativa, prepare el doble de cantidad de sopa y guárdela en el congelador (hasta 3 meses).

Minestrone

Para 4 personas

INGREDIENTES

1 cucharada de aceite de oliva

100 g de panceta cortada
   en dados

2 cebollas medianas picadas

2 dientes de ajo machacados

1 patata, pelada y cortada en
   dados de 10 mm

1 zanahoria, raspada y cortada
   en trozos

1 puerro cortado en rodajas

¹/₄ de col verde, cortada
   en tiras finas

1 tallo de apio picado

1 lata de 450 g de tomate
   triturado

1 lata de 210 g de alubias
   blancas, escurridas y lavadas

600 ml de caldo caliente de

jamón o de pollo, diluido con
   600 ml de agua hirviendo

1 manojo de hierbas para el caldo
   (2 hojas de laurel, 2 ramitas
   de romero y 2 ramitas de
   tomillo, atadas)

sal y pimienta

queso parmesano recién rallado,
   para servir

1 Caliente el aceite en una cazuela grande. Añada la panceta, la cebolla y el ajo, y sofríalo todo unos 5 minutos, o bien hasta que la cebolla esté tierna y dorada.

2 Incorpore la patata, la zanahoria, el puerro, la col y el apio, y rehóguelos 2 minutos más, removiendo con frecuencia para que las verduras se impregnen bien con el aceite.

3 Añada el tomate, las alubias, el caldo de pollo o de jamón y el manojo de hierbas, y remueva para que se mezclen los ingredientes. Deje la sopa a fuego suave, con la cazuela tapada, unos 15-20 minutos o hasta que las verduras estén tiernas.

4 Retire las hierbas, salpimente a su gusto y sirva la sopa acompañada con abundante queso parmesano.

VARIACIÓN

Cualquier combinación de verduras es buena para esta sopa. Si quiere una minestrone especial, pruebe a añadirle 100 g de jamón curado (o de Parma), cortado en tiras finas, en el paso 1.

Sopa calabresa de setas

Para 4 personas

INGREDIENTES

2 cucharadas de aceite de oliva

1 cebolla picada

450 g de setas silvestres variadas y algunos champiñones

300 ml de leche

850 ml de caldo de verduras caliente

8 rebanadas de pan de barra largo

50 g de mantequilla derretida

2 dientes de ajo machacado

75 g de queso gruyer finamente rallado

sal y pimienta

1 Caliente el aceite en una sartén grande y sofría la cebolla 3-4 minutos, o hasta que esté tierna y dorada.

2 Limpie las setas con un paño húmedo y corte las que sean grandes en trocitos.

3 Añada las setas a la sartén, removiendo rápidamente para que queden impregnadas con el aceite.

4 Agregue la leche a la sartén, cúbrala y déjela a fuego suave unos 5 minutos. Gradualmente vaya añadiendo el caldo de verduras caliente.

5 Tueste las rebanadas de pan bajo el grill precalentado, por ambos lados, hasta que estén doradas.

6 Combine el ajo con la mantequilla y unte generosamente el pan con la mezcla.

7 Coloque las tostadas en el fondo de una sopera grande o repártalas entre 8 cuencos individuales, y vierta la sopa encima. Remate con el gruyer rallado y sírvala inmediatamente.

SUGERENCIA

Las setas absorben líquido, lo cual puede disminuir el sabor y afectar las propiedades de la cocción. Por eso es mejor limpiarlas sólo con un paño húmedo

VARIACIÓN

En los mercados existe una gran variedad de setas silvestres. Si lo prefiere, puede utilizar una mezcla de setas silvestres y cultivadas.

Tomates rellenos con mayonesa y atún

Para 4 personas

INGREDIENTES

4 tomates pera

2 cucharadas de pasta de tomate
   secado al sol

2 yemas de huevo

2 cucharaditas de zumo de limón

la ralladura fina de 1 limón

4 cucharadas de aceite de oliva

1 lata de atún de 115 g, escurrido

2 cucharadas de alcaparras

sal y pimienta

PARA DECORAR

2 tomates secados al sol,
   cortados en tiras

hojas de albahaca fresca

1 Parta los tomates por la mitad y extraiga las semillas. Divida la pasta de tomate entre las diferentes mitades y extiéndala por el interior de la piel.

2 Coloque los tomates en una bandeja y áselos en el horno precalentado a 200 °C unos 12-15 minutos.

3 Entretanto prepare la mayonesa. Bata las yemas de huevo junto con el zumo y la ralladura de limón con una batidora hasta que la mezcla esté suave. Vaya añadiendo el aceite y deje de batir justo en el momento en que la mayonesa se espese. También puede prepararla a mano con unas varillas, batiendo la mezcla sin dejar de remover hasta que quede espesa.

4 Añada entonces el atún y las alcaparras a la mayonesa, y salpimente luego a su gusto.

5 Vaya rellenando los tomates con la mezcla y adórnelos con las tiras de tomate y la albahaca. Caliéntelos en el horno unos cuantos minutos o, si lo prefiere, sírvalos fríos.

SUGERENCIA

Para una merienda campestre no hace falta asar los tomates. Simplemente extraiga las semillas, déjelos 1 hora boca abajo para que se escurran, y rellénelos luego con la mayonesa y el atún. De esta manera, quedan más firmes y son más fáciles de manipular y de comer con los dedos. Si lo prefiere, puede utilizar mayonesa de bote.

Albóndigas de risotto fritas

Para 4 personas

INGREDIENTES

2 cucharadas de aceite de oliva
1 cebolla mediana finamente
   picada
1 diente de ajo picado
½ pimiento rojo cortado en trocitos

150 g de arroz arborio, lavado
1 cucharadita de orégano seco
400 ml de caldo caliente de
   verduras o de pollo
100 ml de vino blanco seco

75 g de mozzarella
aceite para freir
1 ramita de albahaca fresca, para
   adornar

1 Caliente el aceite en una sartén y rehogue la cebolla y el ajo 3-4 minutos o hasta que se hayan ablandado.

2 Añada el pimiento, el arroz y el orégano a la sartén y déjelos hacerse unos 2-3 minutos más, removiendo para impregnar el arroz con el aceite.

3 Mezcle el caldo con el vino y vaya añadiéndolo a la sartén, un cucharón cada vez, esperando a que el arroz absorba el líquido antes de añadirle más.

4 Una vez todo el líquido quede absorbido y el arroz tierno (unos 15 minutos en total), retire la sartén del fuego y deje enfriar la mezcla.

5 Corte el queso en 12 porciones. Tome 1 cucharada de risotto y moldéelo alrededor del trocito de queso, hasta formar 12 albondiguillas.

6 Caliente el aceite hasta que un dado de pan se dore en 30 segundos. Fría las albóndigas de risotto en tandas de 4, unos 2 minutos o hasta que estén doradas.

7 Retírelas de la sartén con una espumadera y déjelas escurrir bien sobre papel absorbente. Adórnelas con una ramita de albahaca y sírvalas calientes.

VARIACIÓN

Aunque la mozzarella es el queso que tradicionalmente se usa para esta receta, también puede utilizar algún otro tipo, como el cheddar, si así lo prefiere.

Paté de aceitunas negras

Para 4 personas

INGREDIENTES

175 g de aceitunas negras,
  deshuesadas y picadas
la ralladura fina y el zumo de
  1 limón

50 g de mantequilla sin sal
4 filetes de anchoa de lata,
  escurridos y lavados

2 cucharadas de aceite de oliva
  virgen extra
15 g de almendras molidas

1 Si se dispone a preparar el paté manualmente, pique las aceitunas muy finas y a continuación tritúrelas junto con la ralladura de limón, el zumo y la mantequilla, con un tenedor o un triturador manual. Si lo prefiere, puede picar las aceitunas, la ralladura, el zumo de limón y la mantequilla en una picadora.

2 Con un cuchillo afilado, pique bien las anchoas e incorpórelas en la mezcla de aceitunas y limón. Triture el paté a mano o en una picadora unos 20 segundos.

3 Añada gradualmente el aceite y a continuación, la almendra molida. Ponga el paté de aceitunas en un cuenco para servir.

4 Deje enfriar el paté en la nevera unos 30 minutos. Sírvalo acompañado con unas finas rebanadas de pan tostado.

SUGERENCIA

El aceite de oliva virgen extra es el mejor de todos los aceites de oliva. Se obtiene de la primera presión en frío de las aceitunas.

SUGERENCIA

Este paté se conserva hasta 5 días guardado en la nevera si vierte una fina capa de aceite de oliva virgen extra por encima, para sellarlo. Después puede utilizar ese mismo aceite para untar el pan tostado.

Higos frescos con jamón curado

Para 4 personas

INGREDIENTES

40 g de ruqueta	4 lonchas de jamón curado	1 cucharada de zumo de naranja
4 higos frescos	(o de Parma)	natural
4 cucharadas de aceite de oliva	1 cucharada de miel fluida	1 guindilla roja pequeña

1 Rompa la ruqueta en trocitos y colóquela en 4 platos individuales.

2 Con un cuchillo afilado, corte luego los higos en 4 trozos y deposítelos sobre las hojas de ruqueta.

3 Corte el jamón curado en tiras y repártalo por encima de la ruqueta y los higos.

4 Ponga el aceite, el zumo de naranja y la miel en un bote con tapón de rosca. Agite bien el frasco hasta que la mezcla emulsione y forme un aliño espeso. A continuación, páselo a un bol.

5 Con un cuchillo afilado corte la guindilla en trocitos. Recuerde que no debe tocarse la cara antes de haberse lavado las manos (véase *Sugerencia*). Añada a continuación la guindilla al aliño y mézclelo bien.

6 Aliñe los higos, la ruqueta y el jamón sin dejar de remover para que el aderezo quede bien distribuido. Sirva el plato inmediatamente.

SUGERENCIA

La ciudad italiana de Parma es famosa por su jamón curado, el prosciutto di Parma, *considerado uno de los mejores del mundo.*

SUGERENCIA

Las guindillas pueden dejar una sensación de quemazón después de tocarlas, así que es recomendable llevar guantes para manipular las variedades más picantes.

Pimientos asados

Para 4 personas

INGREDIENTES

2 pimientos rojos, 2 amarillos y 2 anaranjados	1 cucharada de aceite de oliva	2 cucharadas de tomillo fresco
4 tomates cortados por la mitad	3 dientes de ajo picados	sal y pimienta
	1 cebolla cortada en aros	

1 Corte los pimientos por la mitad y extraiga las semillas. Coloquélos, con el lado cortado hacia abajo, en una bandeja, y áselos al grill unos 10 minutos.

2 Añada los tomates y áselos 5 minutos más, hasta que la piel tanto de los pimientos como de los tomates esté chamuscada.

3 Introduzca los pimientos en una bolsa de plástico 10 minutos, lo que hará que después le resulte más fácil quitarles la piel. Pele los tomates y pique a continuación la pulpa no demasiado fina.

4 Pele los pimientos y córtelos en tiras.

5 Caliente el aceite en una sartén grande y sofría el ajo y la cebolla 3-4 minutos, o hasta que se hayan ablandado.

6 Incorpore el pimiento y el tomate a la sartén, y rehogue durante unos 5 minutos. Añada luego el tomillo y salpimente a su gusto.

7 Pase la mezcla a cuencos individuales y sirva el plato caliente o bien frío, directamente de la nevera.

SUGERENCIA

Puede conservar los pimientos en la nevera si los coloca en un bote esterilizado y vierte aceite de oliva encima para sellarlos. Como alternativa, caliente 300 ml de vinagre de vino con 1 hoja de laurel y 4 bayas de enebro y llévelo a ebullición. Vierta la mezcla sobre los pimientos y déjelos reposar hasta que se hayan enfriado del todo. Guárdelos en botes esterilizados y se conservarán hasta 1 mes.

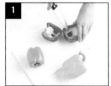

Berenjenas asadas con tomates

Para 4 personas

INGREDIENTES

3-4 cucharadas de aceite de oliva	100 g de mozzarella cortada en rodajitas	50 g de queso parmesano rallado
2 dientes de ajo machacados		
2 berenjenas grandes	200 g de *passata*	

1 Caliente 2 cucharadas de aceite de oliva en una sartén grande y salte el ajo 30 segundos.

2 Corte las berenjenas en láminas longitudinales. Póngalas en la sartén y fríalas 3-4 minutos por cada lado, hasta que estén bien tiernas. (Probablemente tendrá que freírlas en tandas, así que vaya añadiendo aceite a medida que sea necesario.)

3 Retire las berenjenas con una espumadera y déjelas escurrir sobre papel de cocina.

4 Ponga una capa de rodajas de berenjena en una fuente para el horno. Cubra la berenjena con una capa de mozzarella y vierta encima un tercio de la *passata*. Siga haciendo capas en el mismo orden, y acabe con una de *passata*.

5 Luego, espolvoree las berenjenas con el queso parmesano y hornee el plato a 200 °C durante unos 25-30 minutos.

6 Páselo a platos individuales y sírvalo caliente o frío de la nevera.

SUGERENCIA

La passata *es una sencilla salsa de tomate que puede adquirir en la mayoría de los supermercados. Como alternativa, puede preparar un puré con el tomate en conserva salpimentado.*

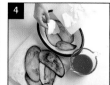

Primeros platos y tentempiés

Buñuelos de calabacín con tomillo

Para 15 buñuelos medianos o 30 pequeños

INGREDIENTES

100 g de harina de fuerza	50 ml de leche	1 cucharada de aceite
2 huevos batidos	300 g de calabacines	sal y pimienta
	2 cucharadas de tomillo fresco	

1 Tamice la harina sobre un cuenco grande y haga un agujero en el centro. Añada el huevo batido y con una cuchara de madera vaya mezclándolo con la harina.

2 Poco a poco agregue la leche a la mezcla, sin dejar de remover, hasta formar una pasta.

3 Entretanto lave los calabacines. Rállelos sobre una lámina de papel de cocina colocada en un cuenco, para absorber parte del jugo.

4 Añada el calabacín, el tomillo, la sal y la pimienta a la pasta y remueva para mezclar bien los ingredientes.

5 Caliente el aceite en una sartén grande. Calcule 1 cucharada de masa si quiere buñuelos medianos, o 1 cucharadita si los desea más pequeños. Déjelas caer sobre el aceite caliente y fríalas en tandas, 3-4 minutos por lado.

6 Retire los buñuelos con una espumadera y déjelos escurrir bien sobre papel de cocina. Mantenga los primeros buñuelos calientes en el horno mientras acaba de freír el resto. Sírvalos de inmediato, bien calientes.

VARIACIÓN

Pruebe a añadirles ½ cucharadita de guindilla seca y triturada, en el paso 4.

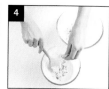

Embutido con aceitunas y tomate

Para 4 personas

INGREDIENTES

4 tomates pera	125 g de aceitunas verdes deshuesadas	1 cucharada de aceite de oliva virgen extra
1 cucharada de vinagre balsámico	175 g de embutidos variados	sal y pimienta
6 filetes de anchoa de lata	8 hojas de albahaca fresca	pan crujiente, para servir
2 cucharadas de alcaparras		

1 Con un cuchillo afilado, corte los tomates en rodajas de igual tamaño. Alíñelas con el vinagre balsámico y sazone con un poco de sal y de pimienta, a su gusto.

2 Corte los filetes de anchoa en trocitos, más o menos del mismo tamaño de las aceitunas.

3 Introduzca un trocito de anchoa y una alcaparra dentro de cada aceituna.

4 Disponga luego el embutido en 4 platos individuales, junto con el tomate, las aceitunas rellenas y la albahaca.

5 Alíñelo con un poco de aceite de oliva.

6 A continuación, sirva el plato acompañado con abundante pan crujiente.

SUGERENCIA

Llene un bote con las aceitunas rellenas y cúbralo con aceite de oliva. Utilice las aceitunas cuando quiera: se conservarán hasta 1 mes.

SUGERENCIA

Los embutidos que lleva esta receta dependen del gusto de cada uno. Podría ser una selección de jamón curado, panceta, bresaola (cecina de buey) y salami di Milano (salami hecho con carne de cerdo y de buey).

Pastelitos de espinacas y ricota

Para 4 personas

INGREDIENTES

450 g de espinacas frescas
250 g de queso ricota
1 huevo batido
75 g de mantequilla

2 cucharaditas de semillas de
hinojo, ligeramente machacadas
50 g de queso pecorino o
parmesano, rallado fino

25 g de harina mezclada con
1 cucharadita de tomillo seco
2 dientes de ajo machacados
sal y pimienta

1 Lave las espinacas y recorte los tallos más largos. Póngalas en una cazuela, tape y cuézalas unos 4-5 minutos o hasta que las hojas se hayan ablandado. Probablemente tendrá que hacerlo en tandas, ya que las espinacas son voluminosas. Déjelas sobre un escurridor para que se escurran y enfríen.

2 Triture el queso ricota y añada el huevo batido y las semillas de hinojo. Salpimente y añada luego el pecorino o parmesano.

3 Estruje las espinacas para extraerles el agua

al máximo y píquelas bien finas. Incorpórelas en la mezcla de queso.

4 Tome 1 cucharada de masa, forme una bola y aplánela para darle forma de pastelito. Rebócelo con la harina mezclada con el tomillo. Repita hasta haber utilizado toda la pasta.

5 Llene una sartén grande con agua hasta la mitad y llévela a ebullición. Con cuidado vaya depositando los pastelitos y cuézalos durante 3-4 minutos, o hasta que suban a la superficie. A continuación, retírelos con una espumadera.

6 Derrita la mantequilla en un cazo, añada el ajo y sofríalo 2-3 minutos. Vierta la mantequilla de ajo sobre los pastelitos, espolvoréelos con pimienta negra y sírvalos inmediatamente.

SUGERENCIA

Una vez lavadas, las espinacas contienen agua suficiente para poder cocerlas. Si utiliza espinacas congeladas, descongélelas y estrújelas para extraer el exceso de agua.

Cebollitas agridulces

Para 4 personas

INGREDIENTES

350 g de cebollitas enanas
2 cucharadas de aceite de oliva
2 hojas de laurel fresco, troceadas

la piel fina de 1 limón
1 cucharada de azúcar moreno fino
1 cucharada de miel líquida

4 cucharadas de vinagre de vino tinto

1 Deje las cebollitas un rato en remojo en un cuenco con agua hirviendo: así podrá pelarlas con más facilidad. Con un cuchillo afilado pélalas y córtelas por la mitad.

2 Caliente el aceite en una sartén grande. Añada el laurel y las cebollas y fríalas 5-6 minutos a fuego moderado, o hasta que estén bien doradas.

3 Corte la piel del limón en juliana pequeña. Póngala en la sartén, junto con el azúcar y la miel. Rehóguelo 2-3 minutos, hasta que las cebollas estén caramelizadas.

4 Agregue el vinagre de vino tinto, con cuidado porque puede salpicar. Hágalo 5 minutos más, removiendo, o hasta que la cebolla esté tierna y el líquido prácticamente haya desaparecido.

5 Pase las cebollitas a una fuente y sírvalas inmediatamente.

SUGERENCIA

Modifique el sabor de este plato añadiéndole más azúcar para un sabor dulzón, o un poco más de vinagre de vino tinto si lo prefiere más ácido.

SUGERENCIA

Para pelar las cebollas más fácilmente, póngalas en una cazuela grande con agua hirviendo y déjelas reposar 10 minutos. Escúrralas bien y cuando se hayan enfriado lo suficiente para poder tocarlas quíteles la piel.

Alcachofas estofadas

Para 4 personas

INGREDIENTES

4 alcachofas pequeñas	la ralladura fina y el zumo	2 cucharadas de mejorana fresca
4 dientes de ajo pelados	de 1 limón	gajos de limón, para servir
2 hojas de laurel	aceite de oliva	

1 Con un cuchillo afilado retire las hojas exteriores de la alcachofa que sean más duras. Recorte el tallo dejándolo de unos 2,5 cm.

2 Corte cada alcachofa por la mitad y extraiga la pelusa del interior.

3 Ponga las alcachofas en un cazo grande de base gruesa. Vierta encima el suficiente aceite de oliva para cubrir las alcachofas hasta la mitad.

4 Añada los dientes de ajo, las hojas de laurel y la mitad de la ralladura de limón.

5 Empiece a calentar las alcachofas a fuego lento, cubra el cazo y déjelas hervir 40 minutos. Las alcachofas deberían quedar estofadas, no fritas.

6 Una vez estén tiernas, retire las alcachofas con una espumadera y escúrralas bien. Deseche las hojas de laurel.

7 Pase las alcachofas a platos individuales calentados. Luego, sírvalas espolvoreadas con el resto de la ralladura de limón, la mejorana fresca y una pequeña cantidad de zumo de limón.

SUGERENCIA

Para evitar que las alcachofas se oxiden y se vuelvan oscuras antes de la cocción, píntelas con un poco de zumo de limón. Además, puede emplear el aceite de la cocción como aliño para ensaladas: tendrá un estupendo sabor a limón y a hierbas aromáticas.

Garbanzos con jamón curado

Para 4 personas

INGREDIENTES

1 cucharada de aceite de oliva	1 pimiento rojo pequeño, sin	1 lata de 400 g de garbanzos,
1 cebolla mediana cortada en	semillas y cortado en tiras	escurridos y lavados
rodajitas	200 g de jamón curado cortado	1 cucharada de perejil picado
1 diente de ajo picado	en trozos	pan crujiente, para servir

1 Caliente el aceite en una sartén grande. Añada la cebolla, el ajo y el pimiento y saltéelos 3-4 minutos, o hasta que se hayan ablandado.

2 Incorpore luego el jamón a la sartén y sofríalo 5 minutos, o hasta que empiece a dorarse.

3 Añada los garbanzos a la sartén y rehóguelos 2-3 minutos más, sin dejar de remover, hasta que estén bien calientes.

4 Espolvoréelos con el perejil picado y páselos a continuación a platos individuales calentados. Sirva los garbanzos con abundante pan fresco y crujiente.

SUGERENCIA

Siempre que le resulte posible cocine con hierbas frescas. Cada vez es más fácil encontrarlas, especialmente ahora que muchas personas las cultivan en su casa en las macetitas que se venden en supermercados y otras tiendas de alimentación.

VARIACIÓN

Pruebe a añadir una guindilla pequeña en el paso 1, si desea un sabor un poco picante.

Marisco rebozado

Para 4 personas

INGREDIENTES

200 g de calamar limpio
200 g de langostinos pelados
150 g de sardinetas
aceite para freír

50 g de harina
1 cucharadita de albahaca seca
sal y pimienta

PARA SERVIR:
mayonesa de ajo
    (véase *Sugerencia*)
gajos de limón

1 Limpie el calamar, los langostinos y las sardinetas bajo el grifo de agua fría, para eliminar cualquier impureza o suciedad.

2 Con un cuchillo afilado corte el calamar en aros y deje los tentáculos enteros.

3 Caliente el aceite en una cazuela grande a 180-190 °C o hasta que un dado de pan se dore en 30 segundos.

4 Ponga la harina en un cuenco y sazone con la sal, la pimienta y la albahaca.

5 Reboce el calamar, los langostinos y las sardinetas con la harina condimentada y sacuda el exceso de rebozado.

6 Fría el marisco en tandas en el aceite caliente, 2-3 minutos o hasta que esté dorado y crujiente. Retírelo con una espumadera y déjelo escurrir por completo sobre papel de cocina.

7 Pase el marisco rebozado a platos individuales y acompáñelo con la mayonesa al ajo (véase *Sugerencia*) y unos gajos de limón.

SUGERENCIA

Para preparar la mayonesa de ajo que debe acompañar el marisco, maje 2 dientes de ajo, mézclelos con 8 cucharadas de mayonesa y sazone con sal, pimienta y un poco de perejil picado.

Ensalada toscana de alubias con atún

Para 4 personas

INGREDIENTES

1 cebolla blanca pequeña o 2 cebolletas, finamente picadas	2 tomates medianos	2 cucharadas de aceite de oliva
2 latas de 400 g de alubias mantecosas, escurridas	1 lata de atún de 185 g, escurrido	1 cucharada de zumo de limón
	2 cucharadas de perejil de hoja plana, picado	2 cucharaditas de miel líquida
		1 diente de ajo machacado

1 Ponga la cebolla o las cebolletas picadas y las alubias en un cuenco, y remueva hasta que queden bien mezcladas.

2 Con un cuchillo afilado, corte los tomates en gajos y añádalos a la cebolla y las alubias.

3 Desmenuce el atún con un tenedor e incorpórelo a la mezcla de cebolla y alubias, junto con el perejil.

4 A continuación, ponga el aceite de oliva, el zumo de limón, la miel y el ajo en un bote con tapón de rosca.

Agite bien hasta lograr que se espese.

5 Aliñe la ensalada de alubias con la mezcla de aceite. Remueva un poco la ensalada y sírvala.

SUGERENCIA

Esta ensalada se conserva varios días en la nevera si la guarda en un recipiente cubierto. Prepare el aliño justo antes de servirla y remueva los ingredientes para que queden bien aderezados.

VARIACIÓN

Sustituya el atún por salmón fresco si quiere una versión más lujosa de esta receta, para alguna ocasión especial.

Ensalada italiana de patata

Para 4 personas

INGREDIENTES

450 g de patatas pequeñas, sin
pelar, o patatas más grandes
partidas por la mitad

4 cucharadas de yogur natural

4 cucharadas de mayonesa

8 tomates secados al sol

2 cucharadas de perejil de hoja
plana, picado

sal y pimienta

1 Lave las patatas y déjelas
en una cazuela grande
con agua. Llévelas a
ebullición y cuézalas unos
8-12 minutos o hasta que
estén tiernas. (El tiempo de
cocción puede variar según
el tamaño de las patatas.)

2 Con la ayuda de un
cuchillo afilado corte
los tomates secados al sol
en tiras delgadas.

3 Para hacer el aliño,
mezcle el yogur con
la mayonesa en un cuenco
y salpimente a su gusto.
Añada luego las tiras de
tomate y el perejil picado.

4 Retire las patatas de
la cazuela con una
espumadera, escúrralas bien
y déjelas enfriar. Si utiliza
patatas grandes, córtelas en
dados de unos 5 cm.

5 Aliñe las patatas con
la mayonesa y agítelas
un poco.

6 Deje enfriar la ensalada
de patata en la nevera
unos 20 minutos y luego
sírvala como primer plato
o como guarnición.

SUGERENCIA

*Es más fácil cortar
las patatas grandes una
vez cocidas. Aunque
los trozos se cuecen antes,
tienden a deshacerse y a
quedar reblandecidos.*

Ensalada verde

Para 4 personas

INGREDIENTES

25 g de pistachos	4 rebanadas de pan de pueblo	25 g de ruqueta
5 cucharadas de aceite	1 cucharada de vinagre	25 g de acelga roja
1 cucharada de romero picado	1 cucharadita de mostaza	50 g de aceitunas verdes sin hueso
2 dientes de ajo picados	1 cucharadita de azúcar	2 cucharadas de albahaca fresca

1 Quite la cáscara a los pistachos y píquelos con un cuchillo afilado.

2 Ponga 2 cucharadas del aceite de oliva en una sartén y fría el ajo con el romero unos 2 minutos.

3 Añada las rebanadas de pan a la sartén y fríalas unos 2-3 minutos por cada lado, o hasta que estén doradas. Retire el pan de la sartén y déjelo escurrir sobre papel de cocina.

4 Para el aliño, mezcle el resto de aceite con el vinagre, la mostaza y el azúcar.

5 Ponga una rebanada de pan en cada plato, con la ruqueta y la acelga roja. Reparta las aceitunas entre los distintos platos.

6 Aliñe la ensalada y después espolvoree con los pistachos picados y las tiras de albahaca. Sirva la ensalada inmediatamente.

SUGERENCIA

Si no encuentra acelga roja, pruebe a cortar un tomate en gajos muy finos para dar un toque rojizo a la ensalada.

VARIACIÓN

Puede utilizar berros en lugar de ruqueta, si lo prefiere.

Ensalada de hinojo a la menta

Para 4 personas

INGREDIENTES

1 bulbo de hinojo	1 pepino pequeño	1 cucharada de aceite de oliva
2 naranjas pequeñas	1 cucharada de menta picada	2 huevos duros

1 Con un cuchillo bien afilado recorte las hojas exteriores del hinojo. Rebane la parte del bulbo en rodajitas finas y déjelas en un cuenco con agua y un poco de zumo de limón (véase *Sugerencia*).

2 Ralle la piel de las naranjas sobre un cuenco. Pélelas con un cuchillo afilado y divídalas en gajos, cortándolas con cuidado. Hágalo sobre el cuenco para aprovechar el zumo que pueda caer.

3 Corte el pepino en rodajas de 12 mm de grosor y a continuación corte cada rodaja en 4 partes. Añada el pepino a la mezcla de hinojo y naranja, junto con la menta.

4 Aliñe la ensalada con el aceite de oliva y revuelva bien los ingredientes.

5 Quite la cáscara de los huevos y córtelos en cuartos. Adorne con ellos la ensalada y sírvala.

SUGERENCIA

El aceite de oliva virgen, de estupendo aroma y sabor, se elabora presionando en frío las aceitunas. Su grado de acidez puede ser ligeramente superior al del aceite virgen extra.

SUGERENCIA

El hinojo se decolora si lo deja expuesto al aire sin aliñar. Para evitarlo, déjelo en un cuenco con agua y un poco de zumo de limón.

Ensalada Capri

Para 4 personas

INGREDIENTES

2 tomates redondos grandes	8 hojas de albahaca	1 cucharada de aceite de oliva
125 g de mozzarella	1 cucharada de vinagre	sal y pimienta
12 aceitunas negras	balsámico	hojas de albahaca, para decorar

1 Con un cuchillo afilado corte los tomates en finas rodajas.

2 Corte la mozzarella en rodajas.

3 Deshuese las aceitunas y córtelas en rodajitas.

4 Forme 4 montones con capas de tomate, mozzarella y aceitunas, terminando con una capa de queso encima.

5 Ahora, coloque cada montoncito en una parrilla precalentada y déjelo de 2 a 3 minutos, el tiempo suficiente para que la mozzarella se derrita.

6 Aliñe con el vinagre y el aceite de oliva, y luego salpimente a su gusto.

7 A continuación, páselos a platos individuales y adórnelos con hojas de albahaca. Sírvalos enseguida.

SUGERENCIA

El vinagre balsámico, que se ha hecho muy popular en la última década, se produce en la región italiana de Emilia-Romagna. Se elabora con vino, que es destilado hasta que adquiere un tono muy oscuro y un sabor intenso.

SUGERENCIA

La mozzarella de leche de búfala, aunque suele ser más cara por la relativa rareza de este animal, sabe mejor que la elaborada con leche de vaca. Se utiliza mucho en ensaladas, pero también les da un toque único a algunos platos al horno.

Ensalada de champiñones

Para 4 personas

INGREDIENTES

150 g de champiñones blancos y de consistencia firme	1 cucharada de zumo de limón	1 cucharada de mejorana fresca
4 cucharadas de aceite de oliva	5 filetes de anchoa, escurridos y picados	sal y pimienta

1 Limpie con suavidad cada champiñón con un paño húmedo, para eliminar la suciedad. Córtelos en láminas finas con un cuchillo afilado.

2 Mezcle el aceite de oliva con el zumo de limón y vierta la mezcla sobre los champiñones. Remueva para que queden bien recubiertos.

3 A continuación, agregue los filetes de anchoa picados a los champiñones. Sazone con pimienta negra y adórnelo con la mejorana fresca.

4 Deje reposar la ensalada unos 5 minutos antes de servirla, para que los sabores se desarrollen. Añada un poquito de sal (véase *Sugerencia*) y sírvala.

SUGERENCIA

No sale la ensalada de champiñones hasta el último momento porque eso hará que se oscurezcan y empiecen a soltar jugo. El resultado será una ensalada menos sabrosa, ya que no absorberá el resto de sabores, y también perderá atractivo visual.

SUGERENCIA

Si utiliza hierbas secas en lugar de frescas, sólo necesita un tercio de la cantidad indicada en la receta.

Ensalada de pimiento amarillo

Para 4 personas

INGREDIENTES

4 lonchas de beicon magro picadas	8 rábanos, lavados y con los extremos recortados	3 tomates pera cortados en gajos
2 pimientos amarillos	1 tallo de apio finamente picado	3 cucharadas de aceite de oliva
		1 cucharada de tomillo fresco

1 Rehogue el beicon sin aceite en una sartén, 4-5 minutos o hasta que esté crujiente. Retírelo de la sartén y deje que se enfríe un poco, hasta que lo necesite.

2 Con un cuchillo afilado, corte los pimientos por la mitad y extraiga las semillas. Córtelos en tiras alargadas.

3 Corte primero los rábanos por la mitad y luego en rodajitas.

4 Mezcle el pimiento con el rábano, el apio y el tomate, y alíñelos con el aceite de oliva y el tomillo fresco. Salpimente a su gusto.

5 Pase la ensalada a platos individuales y adórnela con el beicon crujiente reservado.

SUGERENCIA

Puede comprar beicon ya picado en los supermercados, con lo que ahorrará tiempo de preparación.

SUGERENCIA

El tomate es en realidad una baya y está emparentado con la patata. Existen muchas formas y tamaños de esta versátil fruta. El más utilizado en la cocina italiana es la variedad pera, que tiene mucho sabor.

Ensalada de espinacas

Para 4 personas

INGREDIENTES

100 g de espinacas tiernas, lavadas

75 g de hojas de achicoria
(*radicchio*), cortadas en tiras

50 g de champiñones

100 g de pollo cocido,
preferiblemente pechuga

50 g de jamón curado

2 cucharadas de aceite de oliva

la ralladura fina de ½ naranja
y el zumo de 1 naranja

1 cucharada de yogur natural

1 Limpie los champiñones
con un paño húmedo
para eliminar las impurezas.

2 Mezcle con cuidado las
espinacas con la achicoria
en una ensaladera grande.

3 Corte los champiñones
en láminas muy finas y
añádalas a la ensaladera.

4 Desmenuce el pollo y el
jamón en tiras delgadas,
y mézclelas con la ensalada.

5 Para hacer el aliño,
ponga el aceite de oliva,
la ralladura y el zumo de la
naranja, así como el yogur, en
un tarro con tapón de rosca.

Agítelo hasta que estén bien
mezclados los ingredientes.
Salpiméntelo a su gusto.

6 Aliñe la ensalada y
luego remuévala para
que se mezclen bien todos
sus ingredientes. Sírvala
inmediatamente.

VARIACIÓN

*Las espinacas crudas están
deliciosas. Pruebe una
ensalada de espinacas crudas
con beicon o picatostes de pan
de ajo. Las hojas tiernas
tienen un penetrante sabor.*

SUGERENCIA

El radicchio *es una
variedad de achicoria
originaria de Italia. Tiene un
sabor ligeramente amargo.*

Ensalada de berenjena agridulce

Para 4 personas

INGREDIENTES

6 cucharadas de aceite de oliva
1 cebolla picada
2 dientes de ajo picados
2 tallos de apio picados
450 g de berenjenas

1 lata de 400 g de tomate
    triturado
50 g de aceitunas verdes,
    deshuesadas y picadas
25 g de azúcar granulado
100 ml de vinagre de vino tinto

25 g de alcaparras escurridas
sal y pimienta
1 cucharada de perejil de hoja
    plana, picado grueso, para
    decorar

1 Caliente 2 cucharadas de aceite en una sartén grande. Añada la cebolla picada, el ajo y el apio, y fríalos, removiendo, unos 3-4 minutos.

2 Con un cuchillo afilado corte las berenjenas en rodajas gruesas, y después cada rodaja en 4 partes.

3 Ponga la berenjena en la sartén con el resto del aceite y fríala 5 minutos o hasta que esté dorada.

4 Añada el tomate, las aceitunas y el azúcar a la sartén, removiendo bien hasta que el azúcar se haya disuelto.

5 Agregue el vinagre, reduzca la temperatura y cuézalo a fuego suave 10-15 minutos o hasta que la salsa quede espesa y la berenjena esté tierna.

6 Con la sartén todavía en el fuego, añada las alcaparras. Salpimente a su gusto.

7 Distribuya la ensalada en platos individuales y adórnela con perejil picado.

SUGERENCIA

Es mejor servir esta ensalada fría al día siguiente, porque los sabores habrán madurado y se habrán mezclado.

Ensalada de lentejas y atún

Para 4 personas

INGREDIENTES

3 cucharadas de aceite de oliva virgen	1 diente de ajo machacado	1 lata de lentejas de 400 g
1 cucharada de zumo de limón	½ cucharadita de comino molido	1 lata de atún de 185 g
1 cucharadita de mostaza de grano entero	½ cucharadita de cilantro molido	2 cucharadas de cilantro fresco picado
	1 cebolla roja pequeña	pimienta
	2 tomates maduros	

1 Con un cuchillo afilado extraiga las pepitas de los tomates y píquelos en pequeños dados.

2 Corte la cebolla roja bien fina.

3 Para el aliño, bata el aceite de oliva virgen con el zumo de limón, la mostaza, el ajo, el comino y el cilantro molidos en un bol pequeño. Resérvelo hasta que lo necesite.

4 Mezcle la cebolla picada con el tomate y las lentejas escurridas en una ensaladera.

5 Desmenuce el atún y añádalo a la mezcla de cebolla, tomate y lentejas.

6 Incorpore el cilantro fresco picado.

7 Aliñe la ensalada y sazone con pimienta negra recién molida. Sírvala inmediatamente.

SUGERENCIA

Las lentejas son una buena fuente de proteínas y contienen importantes vitaminas y minerales. Cómprelas secas para dejarlas en remojo y guisarlas en casa, o bien en conserva.

VARIACIÓN

Un puñadito de frutos secos daría aún más sabor y textura extra a esta ensalada.

Bruschetta con tomates

Para 4 personas

INGREDIENTES

300 g de tomates cereza

4 tomates secados al sol

4 cucharadas de aceite de oliva
virgen extra

16 hojas de albahaca fresca

8 rebanadas de chapata

2 dientes de ajo pelados

sal y pimienta

1 Con un cuchillo bien afilado, corte los tomates cereza por la mitad.

2 Corte luego los tomates secados al sol en tiras delgadas.

3 Ponga ambos tipos de tomate en un cuenco. Añada el aceite de oliva y las hojas de albahaca y mézclelo. Sazone a su gusto con un poco de sal y de pimienta.

4 Con un cuchillo afilado, corte los dientes de ajo por la mitad. Tueste ligeramente las rebanadas de chapata.

5 Frote las tostadas con ajo por ambos lados.

6 Ponga la mezcla de tomate sobre las tostadas y sírvalas inmediatamente.

SUGERENCIA

La chapata es un pan rústico italiano con bastante miga. Es ideal para esta receta porque absorbe todo el sabor del ajo y del aceite de oliva virgen extra.

VARIACIÓN

Puede utilizar tomates pera o redondos. Córtelos por la mitad y después, en gajos. Mézclelos con los tomates secados al sol en el paso 3.

Tortilla italiana

Para 4 personas

INGREDIENTES

900 g de patatas

1 cucharada de aceite

1 cebolla grande cortada
    en rodajas

2 dientes de ajo picados

6 tomates secados al sol, cortados
    en tiras

1 lata de 400 g de corazones
    de alcachofa, escurridos

250 g de queso ricota

4 huevos grandes batidos

2 cucharadas de leche

50 g de queso parmesano rallado

3 cucharadas de tomillo picado

sal y pimienta

1 Primero, pele las patatas y póngalas en un cuenco lleno de agua fría (véase *Sugerencia*). Luego, córtelas en rodajas finas.

2 Lleve una cazuela grande con agua a ebullición y añada las patatas. Cuézalas a fuego suave unos 5-6 minutos, o hasta que estén tiernas.

3 Caliente el aceite en una sartén grande y sofría la cebolla y el ajo, removiendo ocasionalmente, durante 3-4 minutos.

4 Añada el tomate secado al sol y siga rehogándolo unos 2 minutos más.

5 Disponga una capa de patatas en el fondo de una fuente para el horno. Ponga encima una capa de cebolla, alcachofas y queso ricota. Repita las capas en el mismo orden, acabando con una de patata.

6 Bata los huevos con la leche, la mitad del parmesano, el tomillo, sal y pimienta a su gusto, y viértalo sobre las patatas.

7 Remate con el resto de parmesano rallado y hornee a 190 °C durante 20-25 minutos, o hasta que esté dorado. Corte la tortilla en porciones y sírvala.

SUGERENCIA

Al dejar las patatas en un cuenco de agua fría evitamos que ennegrezcan mientras cortamos el resto en rodajas.

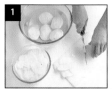

Estofado de alubias con salsa de tomate

Para 4 personas

INGREDIENTES

1 lata de 400 g de alubias blancas	1 tallo de apio	450 g de tomates
1 lata de 400 g de alubias de careta	175 g de cebollitas partidas	750 g de ruqueta
2 cucharadas de aceite de oliva	por la mitad	2 dientes de ajo picados

1 Escurra ambas latas de alubias y reserve 6 cucharadas del líquido.

2 Caliente el aceite en una cazuela y saltee el apio con el ajo y la cebolla unos 5 minutos, o hasta que la cebolla esté dorada.

3 Haga una cruz con el cuchillo en la base de cada tomate y sumérjalos en un cuenco con agua hirviendo 30 segundos, hasta que la piel se desprenda. Retírelos con una espumadera y déjelos enfriar. Quíteles la piel y pique la pulpa. Añada la pulpa de tomate y el líquido reservado de las alubias a la cazuela, y déjelo cocer 5 minutos.

4 Incorpore las alubias a la cazuela y cuézalos 3-4 minutos más, o hasta que estén calientes.

5 Añada la ruqueta y deje que se ablande un poco antes de servir el plato.

VARIACIÓN

Para un plato algo picante, añada 1-2 cucharaditas de salsa de guindilla en el paso 4.

SUGERENCIA

Otra manera de pelar los tomates es hacer la incisión en forma de cruz en la base, sujetarlos con un tenedor y dejarlos sobre la llama del fogón, dándoles la vuelta lentamente para que la piel se caliente y se desprenda.

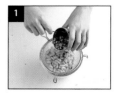

Crepes de pescado ahumado

Para 12 crepes

INGREDIENTES

CREPES:

100 g de harina

$^1\!/_2$ cucharadita de sal

1 huevo batido

300 ml de leche

1 cucharada de aceite, para freir

SALSA:

450 g de abadejo ahumado, sin piel

300 ml de leche

40 g de mantequilla o margarina

40 g de harina

300 ml de caldo de pescado

75 g de queso parmesano rallado

100 g de guisantes congelados,
ya descongelados

100 g de gambas cocidas y peladas

50 g de queso gruyer rallado

sal y pimienta

1 Para hacer la pasta tamice la harina y la sal sobre un cuenco, y haga un agujero en el centro. Agregue el huevo y empiece a mezclarlo con la harina. Lentamente añada la leche y bata hasta obtener una pasta suave. Resérvela hasta que la necesite.

2 Ponga el pescado en una sartén, añada la leche y llévelo a ebullición unos 10 minutos o hasta que el pescado empiece a desmenuzarse. Escúrralo y reserve la leche.

3 Derrita la mantequilla, añada la harina, remueva hasta formar una pasta y déjelo 2-3 minutos. Retire el cazo y añada la leche reservada, un poquito cada vez, removiendo hasta obtener una salsa suave. Haga lo mismo con el caldo de pescado. Vuelva a poner el cazo en el fuego y llévelo a ebullición, removiendo. Incorpore el parmesano y salpimente.

4 Engrase una sartén con aceite. Deje caer dos cucharadas de pasta de

crepes, inclinando la sartén para recubrir la base, y cuájela 2-3 minutos. Desprenda los costados y déle la vuelta. Cuájela 2-3 minutos más; repítalo con el resto de pasta. Apile las crepes y resérvelas en el horno.

5 Mezcle el pescado desmenuzado, los guisantes y las gambas con la mitad de la salsa y rellene las crepes con esta mezcla. Vierta el resto de la salsa, remate con el gruyer rallado y hornéelo durante 20 minutos hasta que se dore.

Marisco al horno

Para 4 personas

INGREDIENTES

600 g de patatas pequeñas

3 cebollas rojas cortadas en gajos

2 calabacines cortados en trozos

8 dientes de ajo pelados

2 limones cortados en gajos

4 ramitas de romero

4 cucharadas de aceite de oliva

350 g de gambas sin pelar

2 calamares pequeños cortados en aros

4 tomates cuarteados

1 Limpie bien las patatas y corte las de mayor tamaño por la mitad. Póngalas en una fuente para el horno junto con la cebolla, el calabacín, el ajo, el limón y el romero.

2 Vierta encima el aceite y remueva las verduras para impregnarlas bien.

3 Póngalo en el horno a 200 °C durante unos 40 minutos, dando la vuelta de vez en cuando, hasta que las patatas estén tiernas.

4 Cuando las patatas estén listas, añada las gambas, el calamar y el tomate, y remueva un poco los ingredientes para impregnarlos de aceite. Áselo 10 minutos más en el horno. Todas las verduras deberían quedar cocidas y ligeramente doradas.

5 Pase el marisco y las verduras a platos individuales y sírvalo caliente.

VARIACIÓN

Casi todas las verduras se pueden asar en el horno. Pruebe a añadir 450 g de calabaza, calabacita amarilla o berenjena, si lo prefiere.

SUGERENCIA

El calamar y el pulpo gustan mucho tanto en Italia como en todos los países mediterráneos.

Tiras de tortilla con salsa de tomate

Para 4 personas

INGREDIENTES

25 g de mantequilla
1 cebolla finamente picada
2 dientes de ajo picados
4 huevos batidos
150 ml de leche

75 g de queso gruyer cortado en
dados
1 lata de 400 g de tomate triturado
1 cucharada de romero, sin el tallo
150 ml de caldo de verduras

queso parmesano recién rallado,
para espolvorear
pan crujiente, para servir

1 Derrita la mantequilla
en una sartén grande
y sofría la cebolla y el ajo
unos 4-5 minutos, hasta
que se hayan ablandado.

2 Bata los huevos con
la leche y añádalos
a la sartén.

3 Con una espátula,
levante con cuidado
los bordes ya cuajados de
la tortilla e incline la sartén
para que se haga el huevo
todavía líquido.

4 Espolvoree con el
queso gruyer. Deje
cocer la tortilla 5 minutos,

dándole la vuelta una vez,
hasta que esté dorada por
ambos lados. Retírela de
la sartén y enróllela.

5 Ponga el tomate, el caldo
de verduras y el romero
en la sartén, removiendo, y
llévelo a ebullición.

6 Deje cocer la salsa de
tomate a fuego lento
10 minutos, hasta que se
haya reducido y espesado.

7 Corte la tortilla en tiras
y añádalas a la salsa de
tomate de la sartén. Déjelo
al fuego unos 3-4 minutos,
hasta que esté bien caliente.

8 Espolvoree el
parmesano sobre las
tiras de tortilla y la salsa de
tomate, y sirva el plato
acompañado de pan fresco.

VARIACIÓN

*Puede añadir 100 g de
panceta o de beicon no
ahumado en el paso 1,
y freírlo con la cebolla.*

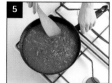

Mozzarella in carozza

Para 4 personas

INGREDIENTES

8 rebanadas de pan de molde, un poco duro, sin la corteza	8 filetes de anchoa de lata, escurridos y picados	4 huevos batidos
100 g de mozzarella cortada en lonchas gruesas	16 hojas de albahaca fresca	150 ml de leche
	50 g de aceitunas negras picadas	aceite para freír
		sal y pimienta

1 Corte cada rebanada de pan en 2 triángulos. Coloque las lonchas de mozzarella y la anchoa picada encima de 8 de los triángulos.

2 Disponga las hojas de albahaca y las aceitunas por encima, y salpimente a su gusto.

3 Luego, ponga los otros 8 triángulos de pan encima y presione para que queden sellados los bordes.

4 Bata los huevos con la leche y viértalos sobre los emparedados. Déjelos reposar unos 5 minutos.

5 Caliente el aceite en una sartén grande a 180-190 °C o hasta que un dado de pan se dore en unos 30 segundos.

6 Antes de freír los emparedados, presione de nuevo los bordes.

7 Ahora, disponga los emparedados con cuidado en el aceite caliente y fríalos unos 2 minutos, o hasta que estén dorados, dándoles la vuelta una vez. Retírelos de la sartén con una espumadera y déjelos escurrir sobre papel absorbente. Sírvalos inmediatamente.

SUGERENCIA

Si lo desea, pruebe a poner una gamba pelada en cada triángulo de pan. Si quiere emparedados más pequeños, corte el pan en 4 triángulos.

Hinojo al horno

Para 4 personas

INGREDIENTES

2 bulbos de hinojo

2 tallos de apio cortados
    en trozos de 7,5 cm

6 tomates secados al sol, partidos
    por la mitad

200 g de *passata*

2 cucharaditas de orégano seco

50 g de queso parmesano rallado

1 Con la ayuda de un cuchillo afilado, recorte el hinojo, descartando las hojas exteriores más duras, y corte el bulbo en cuartos.

2 Lleve una cazuela grande con agua a ebullición, añada el hinojo y el apio, y hiérvalos 8-10 minutos, o hasta que estén tiernos. A continuación, retírelos con una espumadera y déjelos escurrir.

3 Ponga el hinojo, el apio y los tomates secados al sol en una fuente de horno.

4 Junte la *passata* con el orégano, y vierta la mezcla sobre el hinojo.

5 Espolvoréelo con el parmesano y déjelo en el horno a 190 °C unos 20 minutos o hasta que esté caliente.

6 Sírvalo como primer plato acompañado de pan, o como guarnición.

VARIACIÓN

Si no encuentra hinojo en las tiendas, el puerro es una alternativa deliciosa. Necesitará unos 750 g, picado. Asegúrese de que lo lava bien para eliminar los restos de tierra.

VARIACIÓN

Si quiere un plato sustancioso, añada 1 lata de 400 g de alubias mantecosas, escurridas, en el paso 3.

Tartaletas de ajo y piñones

Para 4 personas

INGREDIENTES

4 rebanadas de pan integral	5 dientes de ajo, pelados y cortados	4 aceitunas negras partidas por
50 g de piñones	2 cucharadas de orégano fresco y	la mitad
150 g de mantequilla	picado	hojas de orégano, para adornar

1 Aplane las rebanadas de pan con un rodillo de cocina. Con un cortapastas recorte 4 círculos para un molde de tartaletas de unos 10 cm de diámetro. Reserve los recortes de pan y guárdelos en la nevera 10 minutos o hasta que los necesite.

2 Entretanto, ponga los piñones en una bandeja para el horno y tuéstelos bajo el grill unos 2-3 minutos o hasta que estén dorados.

3 Ponga los recortes de pan, la mantequilla, los piñones, el ajo y el orégano en una picadora, y píquelos durante 20 segundos.

También puede majar los ingredientes manualmente en el mortero. La mezcla debe tener una consistencia gruesa.

4 Vaya depositando el relleno de mantequilla y piñones sobre las bases de pan en el molde, y después cubra el relleno con las aceitunas. Hornéelo a 200 ºC unos 10-15 minutos o hasta que estén doradas.

5 Pase las tartaletas a platos individuales y sírvalas calientes, adornadas con las hojas de orégano fresco.

VARIACIÓN

Puede utilizar masa de hojaldre en lugar de pan. Necesitará 200 g de masa de hojaldre para 4 tartaletas. Deje enfriar la masa en la nevera unos 20 minutos. Forre el molde con la masa, cubra con papel de aluminio y hornéela 10 minutos. Retire el papel de aluminio y hornéela unos 3-4 minutos más. Deje enfriar y prosiga con la receta en el paso 2, añadiendo 2 cucharadas de pan rallado a la mezcla.

Patatas con aceitunas y anchoas

Para 4 personas

INGREDIENTES

450 g de patatas pequeñas	2 ramitas de romero,	8 filetes de anchoas , troceados
2 bulbos de hinojo, cortados	sin el tallo	2 cucharadas de aceite
en rodajas	75 g de aceitunas variadas	de oliva

1 Lleve una cazuela con agua a ebullición y cueza las patatas unos 8-10 minutos o hasta que estén tiernas. Retírelas con una espumadera y déjelas reposar para que se enfríen ligeramente.

2 Una vez las patatas se hayan enfriado lo suficiente para poder manipularlas, córtelas en gajos con un cuchillo afilado.

3 A continuación, deshuese las aceitunas y córtelas por la mitad con un cuchillo afilado.

4 Corte los filetes de anchoa en tiras finas.

5 Caliente el aceite en una sartén grande. Añada los gajos de patata, el hinojo en rodajas y el romero. Rehóguelo todo durante unos 7-8 minutos o hasta que las patatas estén doradas.

6 Incorpore las aceitunas y las anchoas, y sofríalo 1 minuto más, hasta que estén calientes.

7 Pase las patatas a platos individuales y sírvalas inmediatamente.

SUGERENCIA

El romero fresco gusta mucho a los italianos, pero si lo prefiere puede experimentar con sus hierbas favoritas para esta receta.

Higadillos de pollo con pan tostado a la toscana

Para 4 personas

INGREDIENTES

2 cucharadas de aceite de oliva	4 hojas de salvia fresca,	2 cucharadas de zumo de limón
1 diente de ajo finamente picado	finamente picada,	sal y pimienta
225 g de higadillos de pollo	o 1 cucharadita de hojas	4 rebanadas de chapata
2 cucharadas de vino blanco	secas, desmenuzadas	gajos de limón, para decorar

1 Primero caliente el aceite de oliva en una sartén y fría el ajo durante 1 minuto.

2 Lave los higadillos y píquelos gruesos con un cuchillo afilado.

3 Añada los higadillos de pollo a la sartén, junto con el vino blanco y el zumo de limón. Déjelos 3-4 minutos o hasta que el jugo de los higadillos salga claro.

4 A continuación, añada la salvia y salpimente a su gusto.

5 Tueste el pan bajo el grill precalentado durante 2 minutos por cada lado o hasta que esté bien dorado.

6 Coloque los higadillos sobre las tostadas de pan y sírvalos adornados con un gajo de limón.

SUGERENCIA

Si deja cocer el hígado en exceso quedará seco e insípido. Fríalo sólo 3-4 minutos para que quede jugoso y tierno.

VARIACIÓN

Otra manera de hacer esta receta es cortando una barra de pan larga en redondeles o cuadrados. Caliente entonces el aceite de oliva en una sartén y fría el pan hasta que esté dorado y crujiente por ambos lados. Retírelo de la sartén con una espumadera y déjelo escurrir sobre papel de cocina. Ponga encima los higadillos de pollo.

Tartaletas de cebolla y mozzarella

Para 4 personas

INGREDIENTES

1 paquete de 250 g de masa
 de hojaldre
2 cebollas rojas medianas,
 cortadas en gajos muy finos

1 pimiento rojo, partido por
 la mitad y sin semillas
8 tomates cereza, partidos
 por la mitad

100 g de mozzarella cortada
 en trozos
8 ramitas de tomillo

1 Extienda la masa de
 hojaldre con el rodillo
para obtener 4 cuadrados
de 7,5 cm. Con un cuchillo
afilado recorte los bordes
de la pasta y reserve el
resto. Deje enfriar la masa
en la nevera 30 minutos.

2 Ponga los cuadrados de
 masa en una bandeja
para el horno. Pinte los
contornos con un poco de
agua y forme un reborde
grueso alrededor de cada
tartaleta con los recortes de
pasta reservados.

3 Corte las cebollas en
 gajos muy finos y los
pimientos por la mitad,

y a continuación, quíteles
las semillas.

4 Ponga la cebolla y los
 pimientos en una bandeja
para el horno y áselos al grill
durante 15 minutos o hasta
que estén un poco tostados.

5 Introduzca los trozos
 de pimiento en una
bolsa de plástico y déjelos
reposar unos 10 minutos.
Quíteles la piel y corte la
carne en tiras finas.

6 Forre los cuadrados
 de masa de hojaldre
con papel de aluminio y
hornéelos a 200 ºC durante
10 minutos. Retire el papel

de aluminio y déjelos unos
5 minutos más en el horno.

7 Extienda la cebolla, las
 tiras de pimiento, los
tomates y el queso sobre
cada tartaleta, y espolvoree
con el tomillo fresco.

8 Hornéelas durante
 15 minutos o hasta
que estén doradas. Sírvalas
calientes.

Pasta y arroz

Fácil de cocinar y de bajo coste, la pasta es un
alimento maravillosamente versátil. Puede servirla
con salsas con carne, pescado o verduras, o prepararla al
horno. Algunos de los platos más populares y conocidos
son los que combinan largas tiras de pasta cocida
al dente con una suculenta y sabrosa salsa con carne,
como los espaguetis a la boloñesa. El pescado y el marisco
son irresistibles combinados con pasta, y sólo requieren
una rápida cocción. La pasta con verduras da pie
a innumerables platos que gustarán tanto a los
vegetarianos como a los que no lo son.

Los platos de arroz son muy populares en el norte
de Italia, especialmente los risottos. El risotto a la milanesa
y otras recetas similares se preparan con arroz de grano
corto, cuya mejor variedad es el arborio, un tipo de arroz
que hay que lavar antes de utilizarlo. El risotto italiano
es algo más caldoso que un pilau o cualquier otro plato
de arroz, pero tampoco debería quedar demasiado deshecho.
Los ñoquis se preparan con harina de maíz, polenta,
patata o sémola, mezclados a menudo con espinacas o
algún tipo de queso. La polenta se elabora con harina
de maíz o de polenta, y puede servirse como unas
gachas suaves o como base más sólida.

Cintas con mantequilla de ajo

Para 4 personas

INGREDIENTES

450 g de harina de trigo duro	3 cucharadas de aceite de oliva	2 cucharadas de perejil fresco
2 cucharaditas de sal	75 g de mantequilla derretida	picado
4 huevos batidos	3 dientes de ajo picados	pimienta

1 Tamice la harina sobre un cuenco grande y mézclela con la sal.

2 Haga un agujero en el centro y agregue el huevo y 2 cucharadas de aceite, mezclándolos con la harina. Al cabo de unos minutos la pasta estará demasiado espesa para poder seguir con la cuchara, así que tendrá que trabajarla con las manos.

3 Pase la pasta a una superficie enharinada y amásela durante 5 minutos. Si estuviera demasiado húmeda, añada un poco más de harina y siga amasando. Envuélvala en

plástico de cocina y déjela reposar como mínimo unos 15 minutos.

4 Cuando tenga la pasta básica preparada, extiéndala bien fina con el rodillo y déle la forma que desee. Puede hacerlo manualmente o con una máquina para hacer pasta.

5 Para hacer las cintas a mano, doble las finas láminas de pasta en 3 y córtelas en tiras largas y delgadas, de 1 cm de anchura.

6 Para cocerlas, lleve una cazuela grande con agua a ebullición, añada

luego 1 cucharada de aceite y después la pasta. Tardará unos 2-3 minutos en hacerse, y tiene que quedar *al dente*, es decir, no demasiado blanda. Escúrrala bien.

7 Mezcle la mantequilla con el ajo y el perejil. Añada la mantequilla a la pasta, remueva bien y sírvala espolvoreada con pimienta negra.

SUGERENCIA

Como regla general calcule unos 150 g de pasta fresca o 100 g de pasta seca por persona.

Espaguetis a la boloñesa

Para 4 personas

INGREDIENTES

1 cucharada de aceite de oliva	50 g de panceta o beicon magro, en dados	2 cucharaditas de orégano seco
1 cebolla finamente picada		125 ml de vino tinto
2 dientes de ajo picados	350 g de carne magra de buey, picada	2 cucharadas de pasta de tomate
1 zanahoria, raspada y picada		sal y pimienta
1 tallo de apio picado	1 lata de 400 g de tomate triturado	675 g de espaguetis frescos o 350 g de secos

1 Caliente el aceite en una sartén grande y fría la cebolla unos 3 minutos.

2 Añada el ajo, la zanahoria, el apio y la panceta o beicon, y saltéelos durante 3-4 minutos, hasta que empiecen a dorarse.

3 Incorpore la carne picada y siga salteándolo a fuego vivo durante unos 3 minutos más o hasta que la carne se haya dorado.

4 Agregue el tomate, el orégano y el vino tinto, y llévelo a ebullición.

Reduzca la temperatura y cuézalo a fuego lento durante 45 minutos.

5 Añada la pasta de tomate y salpimente.

6 Cueza los espaguetis en una cazuela con agua hirviendo según las instrucciones del envase o hasta que estén al dente. Escúrralos bien.

7 Pase los espaguetis a una fuente de servir y vierta encima la salsa boloñesa, mezclándolos bien. Sírvalos calientes.

VARIACIÓN

Añádale a la salsa boloñesa (en el paso 4) 25 g de setas que previamente habrá dejado en remojo unos 10 minutos en 2 cucharadas de agua caliente.

SUGERENCIA

Puede guardar esta salsa en el congelador hasta 2 meses o en la nevera 2-3 días.

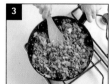

Cintas con salsa de tomate picante

Para 4 personas

INGREDIENTES

50 g de mantequilla
1 cebolla finamente picada
1 diente de ajo picado
2 guindillas rojas troceadas

450 g de tomates frescos, sin piel
ni semillas y cortados en dados
200 ml de caldo de verduras
2 cucharadas de pasta de tomate

1 cucharadita de azúcar
sal y pimienta
675 g de cintas frescas, blancas y
verdes, o 350 g
de secas

1 Derrita la mantequilla en una cazuela grande y sofría el ajo y la cebolla durante 3-4 minutos o hasta que se hayan ablandado.

2 Añada la guindilla a la cazuela y siga sofriendo unos 2 minutos más.

3 Incorpore el tomate y el caldo, reduzca la temperatura y déjelo cocer a fuego suave durante 10 minutos, removiendo.

4 Ponga la salsa en la batidora y bátala durante 1 minuto, hasta que esté suave. También puede pasarla por un pasapurés.

5 Vuelva a poner la salsa en la cazuela y añada la pasta de tomate, el azúcar, sal y pimienta al gusto. Cuézala a fuego suave hasta que esté bien caliente.

6 Hierva las cintas en una cazuela con agua hirviendo siguiendo las instrucciones del paquete o hasta que esté *al dente*. Escurra la pasta, pásela a platos individuales y sírvala acompañada de la salsa de tomate.

VARIACIÓN

Pruebe a rematar su plato de pasta con 50 g de panceta o beicon, cortados en dados y fritos hasta que estén crujientes (5 minutos).

Pasta con tomate y albahaca

Para 4 personas

INGREDIENTES

1 cucharada de aceite de oliva	1 cucharada de pasta de tomates	sal y pimienta
2 dientes de ajo sin pelar	secados al sol	2 ramitas de romero
450 g de tomates partidos	12 hojas de albahaca fresca,	675 g de lacitos (farfalle) frescos
por la mitad	y un poco más para decorar	o 350 g de secos

1 Ponga el aceite, el romero, el ajo y los tomates, con el lado del tallo hacia abajo, en una bandeja de horno llana.

2 Rocíelos con un poco de aceite de oliva y áselos al grill durante unos 20 minutos o hasta que la piel de los tomates esté algo chamuscada.

3 Quíteles la piel a los tomates, píquelos en trozos gruesos y póngalos en una cazuela.

4 Extraiga luego la pulpa de los dientes de ajo y mézclelos con el tomate picado y la pasta de tomate.

5 Rompa las hojas de albahaca en trocitos y añádalos a la salsa. Sazone con un poco de sal y de pimienta, a su gusto.

6 Cueza los lacitos en una cazuela grande con agua hirviendo según las instrucciones del paquete o hasta que estén al dente. Escúrralos bien.

7 Caliente a fuego suave la salsa de tomate y albahaca.

8 Pase los lacitos a platos individuales y sírvalos con la salsa de tomate y albahaca.

SUGERENCIA

Esta salsa también queda muy bien para una ensalada de pasta fría.

Pasta Vongole

Para 4 personas

INGREDIENTES

675 g de almejas frescas o 1 lata
   de 290 g de almejas,
   escurridas
400 g de marisco variado, como
   gambas y mejillones

(deshelados si los compra
   congelados)
2 cucharadas de aceite de oliva
2 dientes de ajo finamente picados
150 ml de vino blanco

150 ml de caldo de pescado
2 cucharadas de estragón picado
sal y pimienta
675 g de pasta fresca
   o 350 g de seca

1 Si elige almejas frescas, límpielas bien y descarte las que estén abiertas.

2 Caliente el aceite en una sartén grande, añada el ajo y las almejas, y rehóguelos durante 2 minutos, agitando la sartén para asegurarse de que todas las almejas queden bien impregnadas de aceite.

3 Añada el resto del marisco y déjelo hacerse durante 2 minutos más.

4 Vierta el vino y el caldo sobre la mezcla de marisco y llévelo a ebullición. Tape la sartén, reduzca la temperatura y cuézalo a fuego lento 8-10 minutos o hasta que las almejas queden bien abiertas. Descarte luego las almejas y los mejillones que no se hayan abierto.

5 Entretanto, hierva la pasta en una cazuela grande con agua hirviendo según las instrucciones del envase o hasta que esté *al dente*. Escúrrala bien.

6 Agregue entonces el estragón a la salsa y salpimente luego a su gusto.

7 Pase la pasta a una fuente de servir y vierta encima la salsa de marisco.

VARIACIÓN

Puede hacer una salsa roja de almejas añadiendo 8 cucharadas de passata a la salsa en el paso 4, junto con el caldo. Siga el mismo método de cocción.

Pesto de albahaca y piñones

Para 4 personas

INGREDIENTES

unas 40 hojas de albahaca fresca, lavadas y secas	50 g de queso parmesano rallado fino	sal y pimienta
3 dientes de ajo picados	2-3 cucharadas de aceite de oliva virgen extra	675 g de pasta fresca o 350 g de seca
25 g de piñones		

1 Lave bien las hojas de albahaca y séquelas con papel de cocina.

2 Ponga las hojas de albahaca, el ajo, los piñones y el parmesano rallado en una picadora, y bata durante 30 segundos o hasta que la mezcla esté suave. Como alternativa también puede majar los ingredientes en un mortero.

3 Si utiliza una picadora, vaya añadiendo poco a poco el aceite. Si prepara el pesto manualmente, añada el aceite gota a gota, sin dejar nunca de remover. Salpimente a su gusto.

4 Entretanto, cueza la pasta en una cazuela grande con agua hirviendo, siguiendo las instrucciones del envase o hasta que esté al dente. Escúrrala bien.

5 Pase la pasta a una fuente y sírvala con el pesto. Mézclelo bien y sírvalo caliente.

VARIACIÓN

Pruebe a hacer una versión de este pesto con nueces. Sustituya los piñones por 25 g de nueces y añada 1 cucharada de aceite de nuez en el paso 2.

SUGERENCIA

Puede guardar el pesto en la nevera hasta 4 semanas. Cubra la superficie con aceite de oliva antes de cerrar el recipiente o botella para evitar que la albahaca se oxide y ennegrezca.

Ensalada de pasta con guindilla y pimiento

Para 4 personas

INGREDIENTES

2 pimientos rojos, partidos
   por la mitad y sin semillas
1 guindilla roja pequeña
2 dientes de ajo

4 tomates partidos por la mitad
50 g de almendra molida
7 cucharadas de aceite
   de oliva

675 g de pasta fresca
   o 350 g de seca
hojas de orégano fresco,
   para decorar

1 En una bandeja, ponga los pimientos y los tomates con el lado del tallo hacia abajo, junto con la guindilla y el ajo, y áselos al grill durante 15 minutos. Al cabo de 10 minutos déle la vuelta a los tomates.

2 Introduzca los trozos de pimiento y la guindilla en una bolsa de plástico y déjelos reposar 10 minutos.

3 Saque la piel de los pimientos y la guindilla y corte la pulpa en tiras.

4 Pele el ajo y los tomates, y extraiga las semillas de estos últimos.

5 Ponga la almendra en una bandeja y tuéstela al grill unos 2-3 minutos, hasta que esté dorada.

6 Ahora, haga un puré en la batidora con el pimiento, la guindilla, el ajo y el tomate. Mantenga el motor en marcha y lentamente vaya agregando el aceite de oliva; proceda de esta manera hasta obtener una salsa espesa.

7 A continuación, añada la almendra molida tostada a la mezcla.

8 Caliente la salsa en una cazuela hasta que esté bien caliente.

9 Cueza la pasta en una cazuela con agua hirviendo según las instrucciones del envase o hasta que esté al dente. Escúrrala y pásela a una fuente de servir. Vierta la salsa encima y remueva para que se mezcle con la pasta. Adorne el plato con el orégano fresco.

VARIACIÓN

Añada 2 cucharadas de vinagre a la salsa y utilícela como aliño para una ensalada de pasta fría.

Pasta a la carbonara

Para 4 personas

INGREDIENTES

1 cucharada de aceite de oliva
40 g de mantequilla
100 g de panceta o beicon no
   ahumado, en dados

3 huevos batidos
2 cucharadas de leche
1 cucharada de tomillo,
   sin los tallos

675 g de conchas estriadas
   (conchigoni rigati) frescas
   o 350 g de secas
sal y pimienta
50 g de queso parmesano rallado.

1 Caliente el aceite y la mantequilla en una sartén hasta que empiece a estar espumosa.

2 Añada la panceta o el beicon a la sartén y fríala durante 5 minutos o hasta que esté bien dorada.

3 Mezcle los huevos con la leche en un bol. Añada el tomillo y salpimente a su gusto.

4 Cueza la pasta en una cazuela grande con agua hirviendo según las instrucciones del envase, o hasta que esté *al dente*. Luego, escúrrala bien.

5 Añada la pasta a la sartén, junto con el huevo, y rehóguelo a fuego vivo unos 30 segundos, hasta que el huevo empiece a cuajar. No deje que el huevo se haga demasiado.

6 Incorpore la mitad del parmesano rallado.

7 Pase la pasta a una bandeja de servir, vierta la salsa encima y remuévala para mezclarlo todo bien.

8 Espolvoréela con el resto de parmesano rallado y sírvala inmediatamente.

VARIACIÓN

Para una salsa carbonara todavía más cremosa, añada 4 cucharadas de nata líquida espesa a los huevos y la leche en el paso 3. Siga el mismo método de cocción.

Pasta con salsa siciliana

Para 4 personas

INGREDIENTES

450 g de tomates partidos por la mitad	50 g de pasas	2 cucharadas de pasta de tomate
25 g de piñones	1 lata de anchoas de 50 g, escurridas y cortadas	675 g de plumas (penne) frescas o 350 g de secas

1 Ase los tomates al grill unos 10 minutos. Déjelos enfriar un poco y después quíteles la piel y corte la pulpa en dados.

2 Ponga los piñones en una bandeja para el horno y tuéstelos ligeramente durante unos 2-3 minutos o hasta que estén dorados.

3 A continuación, deje las pasas en remojo en agua caliente unos 20 minutos. Escúrralas bien.

4 Ponga el tomate, los piñones y las pasas en un cazo y caliéntelos a fuego moderado.

5 Añada las anchoas y la pasta de tomate, y deje la salsa en el fuego durante 2-3 minutos más o hasta que esté bien caliente.

6 Hierva la pasta en una cazuela grande con agua hirviendo según las instrucciones del envase, o hasta que esté *al dente*. Escúrrala bien.

7 Pase la pasta a una fuente de servir y acompáñela con la salsa siciliana caliente.

VARIACIÓN

En sustitución de las anchoas, puede añadir 100 g de beicon asado al grill hasta que esté crujiente y después picado.

SUGERENCIA

Si utiliza pasta fresca (véase pág. 100), recuerde que la masa para la pasta requiere una temperatura ambiente. No deje que se enfríe demasiado ni la amase sobre una superficie de mármol.

Lasaña de pollo

Para 4 personas

INGREDIENTES

350 g de lasaña fresca (unas
9 láminas) o 150 g de lasaña
seca (unas 9 láminas)
1 cucharada de aceite de oliva
1 cebolla roja finamente picada
1 diente de ajo machacado
100 g de champiñones, laminados

350 g de pechuga de pollo o de
pavo, cortada en trocitos
150 ml de vino tinto, diluido
con 100 ml de agua
250 g de *passata*
1 cucharadita de azúcar

SALSA BECHAMEL:
75 g de mantequilla
50 g de harina
600 ml de leche
1 huevo batido
75 g de queso parmesano rallado
sal y pimienta

1 Primero, cueza la lasaña en una cazuela grande con agua hirviendo según las instrucciones del envase. Engrase ligeramente una fuente honda para el horno.

2 Caliente el aceite en una sartén y sofría la cebolla y el ajo durante 3-4 minutos. Añada los champiñones y el pollo y saltee todo 4 minutos más o hasta que la carne se dore.

3 Agregue el vino, llévelo a ebullición y cuézalo a fuego suave 5 minutos. Añada la *passata* y el azúcar y déjelo cocer durante unos 3-5 minutos más, hasta que la carne esté tierna.

4 Para hacer la bechamel, derrita la mantequilla en un cazo, añada la harina y rehóguela unos 2 minutos. Retire el cazo del fuego y agregue la leche, removiendo para formar una salsa suave. Vuelva a dejar el cazo en el fuego y llévelo a ebullición, removiendo hasta que se espese. Deje enfriar un poco

y añada a continuación el huevo batido y la mitad del queso. Salpimente luego a su gusto.

5 Ponga 3 láminas de lasaña en la base de la fuente y la mitad de la mezcla de pollo encima. Repita las capas. Termine con las últimas 3 láminas, vierta encima la salsa bechamel y espolvoree con el parmesano. Ponga la lasaña en el horno precalentado a 190 °C unos 30 minutos, hasta que esté dorada y la pasta cocida.

Canelones

Para 4 personas

INGREDIENTES

20 tubos de canelones secos
(unos 200 g) o 20 cuadrados
de pasta fresca (unos 350 g)

250 g de queso ricota

150 g de espinacas congeladas,
previamente descongeladas

$\frac{1}{2}$ pimiento rojo pequeño, cortado
en dados

2 cebolletas picadas

150 ml de caldo caliente de
verduras o de pollo

1 porción de salsa de tomate
y albahaca (véase pág. 106)

50 g de queso parmesano o
pecorino rallado

sal y pimienta

1 Si utiliza canelones secos, lea primero las instrucciones del envase, ya que hay muchas variedades que no precisan cocción previa. Si fuera necesario, tendrá que hervir la pasta. Lleve una cazuela grande con agua a ebullición, añada luego 1 cucharada de aceite y cueza la pasta durante 3-4 minutos.

2 En un cuenco mezcle el queso ricota con las espinacas, el pimiento y la cebolleta, y luego salpimente a su gusto.

3 Luego, engrase una fuente para el horno, lo suficientemente grande para que quepan los canelones en una sola capa. Rellene los canelones con la mezcla de ricota y espinacas, y colóquelos en la fuente. Si utiliza cuadrados de pasta fresca, extienda el relleno en un lado de cada pieza y enróllela para formar el canelón.

4 Mezcle el caldo con la salsa de tomate y albahaca (véase pág. 106) y viértala sobre los canelones.

5 Espolvoree con el queso rallado y hornee en el horno precalentado a 190°C unos 20-25 minutos o hasta que la pasta esté totalmente cocida.

VARIACIÓN

*Si prefiere una versión
más cremosa, elimine
el caldo y la salsa de tomate
y albahaca y sustitúyalos
por salsa bechamel
(véase pág. 118).*

Tortelloni

Para 36 unidades

INGREDIENTES

unos 300 g de pasta fresca casera
(véase pág. 100), extendida con
el rodillo en láminas finas
75 g de mantequilla

50 g de chalotes finamente picados
3 dientes de ajo machacados
50 g de champiñones, limpios
y picados finos

½ tallo de apio finamente picado
25 g de queso pecorino rallado fino
1 cucharada de aceite de oliva
sal y pimienta

1 Con un cortapastas de sierra recorte cuadrados de 5 cm de láminas de pasta. Para hacer los 36 tortelloni necesitará 72 recuadros. Una vez cortada la pasta, cubra los cuadrados con plástico de cocina para evitar que se sequen.

2 Caliente luego 25 g de mantequilla en una sartén. Añada los chalotes picados, 1 diente de ajo machacado, los champiñones y el apio, y saltéelos durante unos 4-5 minutos.

3 Retire la sartén del fuego, añada el queso y salpimente a su gusto.

4 Deposite ½ cucharadita de relleno en el centro de 36 cuadrados de pasta. Pinte los bordes con agua y ponga encima los otros 36 cuadrados. Presione bien los bordes para sellarlos. Déjelos reposar 5 minutos.

5 A continuación, lleve una cazuela grande con agua a ebullición, añada el aceite y hierva los tortelloni en tandas; cada una de unos 2-3 minutos de duración. Los tortelloni subirán a la superficie cuando estén cocidos, y deberían quedar *al dente*. Retírelos con una espumadera y escúrralos bien.

6 Entretanto derrita el resto de mantequilla en un cazo. Añada los 2 ajos que quedan, así como abundante pimienta negra, y déjelo en el fuego durante 1-2 minutos.

7 Pase los tortelloni a platos individuales y vierta encima la mantequilla al ajo. Adórnelos con el pecorino rallado y sírvalos inmediatamente.

Polenta frita con guindilla

Para 4 personas

INGREDIENTES

350 g de polenta instantánea
150 ml de crema agria

2 cucharaditas de guindilla en
polvo

1 cucharada de aceite y 1 de perejil
sal y pimienta

1 Ponga 1,5 litros de agua en una cazuela y llévela a ebullición. Añada 2 cucharaditas de sal y luego la polenta, sin dejar nunca de remover.

2 Reduzca la temperatura y siga removiendo sin parar durante 5 minutos. Justo en este punto, la polenta debería tener una consistencia espesa y estar lo suficientemente compacta para que la cuchara se pueda sostener verticalmente en la cazuela.

3 A continuación, añada la guindilla en polvo a polenta y remuévala bien. Salpimente luego a su gusto.

4 Extienda la polenta sobre una bandeja o tabla para el horno, hasta formar una capa de unos 4 cm de grosor. Déjela enfriar y resérvela.

5 Corte la pasta de polenta en tiras delgadas.

6 Ponga 1 cucharada de aceite de oliva en una sartén y fría las tiras de polenta unos 3-4 minutos por cada lado, hasta que estén bien doradas y crujientes. También puede untarlas con mantequilla derretida y asarlas al grill durante 6-7 minutos, hasta que estén doradas. Deje escurrir luego la polenta frita sobre papel absorbente.

7 Mezcle la crema agria con el perejil y póngala en un bol.

8 Sirva la polenta con la crema para mojar.

SUGERENCIA

La polenta instantánea, de fácil cocción, se encuentra en los supermercados y es rápida de hacer. Se mantiene hasta 1 semana en la nevera. También puede preparar la polenta dejándola en el horno precalentado a 200 °C durante unos 20 minutos.

Brochetas de polenta

Para 4 personas

INGREDIENTES

175 g de polenta instantánea
175 ml de agua
1 cucharada de aceite de oliva

2 cucharadas de tomillo fresco
8 lonchas de jamón curado

sal y pimienta
ensalada verde, para servir

1 Hierva la polenta calculando 750 ml de agua por 175 g de polenta, y vaya removiendo de vez en cuando. Si lo prefiere, siga las indicaciones que figuran en el envase.

2 Añada el tomillo fresco a la mezcla de polenta y a continuación salpimente a su gusto.

3 Extienda la polenta sobre una tabla hasta formar una capa de unos 2,5 cm de grosor. Deje que se enfríe.

4 Con un cuchillo afilado, corte la polenta cocida en dados de 2,5 cm.

5 Corte las lonchas de jamón curado en 2 trozos longitudinales. Envuelva los dados de polenta con las tiras de jamón.

6 A continuación, ensarte los dados de polenta en brochetas.

7 Unte las brochetas con un poco de aceite y áselas al grill, dándoles la vuelta a menudo, durante unos 7-8 minutos. Como alternativa, puede asarlas en la barbacoa hasta que estén doradas. Páselas a platos individuales y sírvalas acompañadas de una ensalada verde.

VARIACIÓN

Pruebe a sazonar la polenta con orégano, albahaca o mejorana picados en lugar del tomillo, si lo prefiere. Debe calcular 3 cucharadas de hierbas picadas por cada 350 g de polenta instantánea.

Polenta con bacalao ahumado

Para 4 personas

INGREDIENTES

350 g de polenta instantánea
1,5 litros de agua
200 g de espinacas congeladas,
   descongeladas y picadas

50 g de mantequilla
50 g de queso pecorino rallado
200 ml de leche

450 g de filete de bacalao
   ahumado, sin piel ni espinas
4 huevos batidos
sal y pimienta

1 Hierva la polenta calculando 1,5 litros de agua por 350 g de polenta y vaya removiendo de vez en cuando, o siga las indicaciones del envase.

2 Añada las espinacas, la mantequilla y la mitad del pecorino a la polenta. Salpimente a su gusto.

3 Divida luego la polenta entre 4 cazuelitas individuales para el horno, extendiéndola bien por la base y los costados.

4 Lleve la leche a ebullición en una sartén grande, añada luego el pescado y

déjelo cocer durante unos 8-10 minutos, dándole la vuelta una vez, o hasta que esté tierno. Retire el bacalao con una espumadera.

5 Retire la sartén del fuego. Incorpore los huevos en la leche de la sartén y remueva para mezclarlos.

6 Con la ayuda de un tenedor desmenuce el bacalao en trocitos y colóquelos en el centro de las cazuelitas individuales.

7 Vierta la mezcla de leche y huevo sobre el pescado.

8 Espolvoréelo con el resto del queso y hornéelo a 190 ºC durante 25-30 minutos o hasta que la polenta se cuaje y se dore. Sírvala caliente.

VARIACIÓN

Pruebe a utilizar 350 g de pechuga de pollo cocida, con 2 cucharadas de estragón picado, en lugar del pescado, si así lo prefiere.

Risotto a la milanesa

Para 4 personas

INGREDIENTES

1 cucharada de aceite de oliva
25 g de mantequilla
1 cebolla grande finamente picada
350 g de arroz arborio, lavado
unas 15 hebras de azafrán

150 ml de vino blanco
850 ml de caldo caliente de
verduras o de pollo
8 tomates secados al sol, cortados
en tiras

100 g de guisantes descongelados,
ya descongelados
50 g de jamón curado, cortado en
tiras finas
75 g de queso parmesano rallado

1 Caliente el aceite y la mantequilla en una sartén y sofría la cebolla unos 4-5 minutos o hasta que se haya ablandado.

2 Ponga el arroz con el azafrán en la sartén, y sofríalo, removiéndolo bien durante 1 minuto.

3 Con el cucharón agregue lentamente el vino y el caldo al arroz. Vaya removiendo y compruebe que todo el líquido haya sido absorbido antes de añadir el siguiente cucharón.

4 A media cocción, incorpore el tomate.

5 Cuando todo el vino y el caldo hayan sido absorbidos, el arroz debería estar cocido. Compruébelo probando un grano: si todavía está duro, añada un poco más de agua y siga cociendo. La cocción del arroz tarda un mínimo de 15 minutos.

6 Añada los guisantes, el jamón curado y el queso. Deje cocer durante 2-3 minutos más. Sirva luego el risotto acompañado de parmesano rallado.

SUGERENCIA

El arroz italiano es una variedad redonda y de grano corto, con un sabor parecido al de los frutos secos. El tipo arborio es el mejor. El risotto tiene que quedar húmedo pero con los granos de arroz sueltos. Esto se consigue agregando el caldo caliente poco a poco, añadiendo cada cucharón sólo cuando el anterior ya haya quedado absorbido. No deje nunca de vigilar el risotto para saber cuándo hay que añadir más líquido.

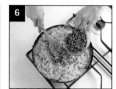

Risotto con setas

Para 4 personas

INGREDIENTES

2 cucharadas de aceite de oliva
1 diente de ajo machacado
200 g de setas silvestres variadas
y champiñones, limpios y
cortados en trozos si son
grandes

250 g de arroz arborio, lavado
una pizca de hebras de azafrán
700 ml de caldo de verduras
caliente
1 cebolla grande picada

100 g de queso parmesano
rallado, y un poco más
para servir
2 cucharadas de tomillo picado
sal y pimienta

1 Caliente el aceite en una sartén grande y saltee la cebolla y el ajo durante 3-4 minutos, hasta que se hayan ablandado.

2 Incorpore las setas a la sartén y sofríalas 3 minutos más, o hasta que empiecen a dorarse.

3 Añada el arroz y el azafrán, y remuévalo para impregnar el arroz con el aceite.

4 Mezcle el caldo con el vino y añádalo a la sartén, un cucharón cada vez. Remueva el arroz y deje que absorba el líquido antes de añadirle más.

5 Cuando la mezcla del vino y el caldo haya sido absorbida, el arroz debería estar cocido. Compruébelo probando un grano: si todavía está duro, añada un poco más de agua y siga cociendo. La cocción tarda un mínimo de 15 minutos.

6 Añada el queso y el tomillo, y sazone con pimienta negra.

7 Pase el risotto a platos individuales y sírvalo espolvoreado con el queso parmesano rallado.

SUGERENCIA

Las setas silvestres tienen todas su propio sabor, y son una buena alternativa a los habituales champiñones. No obstante, suelen ser bastante caras, así que puede mezclarlas con alguna variedad de champiñón.

Risotto de marisco a la genovesa

Para 4 personas

INGREDIENTES

1,2 litros de caldo caliente
de pescado o de pollo
350 g de arroz arborio, lavado
50 g de mantequilla
2 dientes de ajo picados

250 g de marisco variado,
preferiblemente crudo, como
langostinos, calamares,
mejillones, almejas y gambas

2 cucharadas de orégano, y
un poco más para adornar
50 g de queso pecorino o
parmesano rallado

1 Lleve el caldo a
ebullición. Añada el
arroz y cuézalo 12 minutos,
removiendo, hasta que esté
tierno, o bien siga las
instrucciones del envase.
Escúrralo bien y reserve el
líquido sobrante.

2 Caliente la mantequilla
en una sartén grande y
fría el ajo, sin dejar nunca de
remover.

3 Añada el marisco a la
sartén y fríalo durante
5 minutos. Si lo utiliza
ya cocido, fríalo sólo
2-3 minutos.

4 Espolvoree luego el
marisco de la sartén
con el orégano.

5 Incorpore el arroz
cocido a la sartén y
déjelo unos 2-3 minutos,
removiendo, o hasta que
esté caliente. Agregue el
caldo reservado si la mezcla
estuviera demasiado seca.

6 Añada el pecorino o
el parmesano, y mezcle
bien todos los ingredientes.

7 Pase el risotto a platos
individuales calientes
y sírvalo inmediatamente.

SUGERENCIA

*Los genoveses son excelentes
cocineros y preparan unos
platos de pescado deliciosos,
condimentados con el aceite
de oliva local.*

Pimientos rellenos de risotto

Para 4 personas

INGREDIENTES

4 pimientos rojos o naranjas
1 cucharada de aceite de oliva
1 cebolla grande picada
350 g de arroz arborio, lavado
unas 15 hebras de azafrán

150 ml de vino blanco
850 ml de caldo caliente
  de verdura o de pollo
50 g de mantequilla
50 g de queso pecorino rallado

50 g de algún tipo de salami
  italiano, por ejemplo felino,
  picado
200 g de mozzarella cortada
  en lonchitas

1 Corte los pimientos por la mitad, conservando parte del tallo. Extraiga las semillas.

2 Ase los pimientos al grill, con el lado cortado hacia arriba, 12-15 minutos o hasta que se hayan ablandado.

3 Caliente el aceite en una sartén y sofría la cebolla durante 3-4 minutos o hasta que se haya ablandado. Añada luego el arroz y el azafrán, removiendo para recubrirlos con el aceite, y rehóguelo todo 1 minuto más.

4 Añada el vino y el caldo, un cucharón cada vez. Cuando el líquido haya sido absorbido, el arroz debería estar cocido. Compruébelo probando un grano: si aún está duro, añada un poco más de agua y siga cociendo. La cocción del arroz dura un mínimo de 15 minutos.

5 Añada la mantequilla, el queso pecorino y el salami.

6 Rellene los pimientos con el risotto. Remate luego con una lonchita de mozzarella y áselos al grill

durante 4-5 minutos o hasta que el queso forme burbujas. Sírvalos calientes.

VARIACIÓN

Puede utilizar tomates en lugar de pimientos. Corte 4 tomates grandes por la mitad y extraiga las semillas. Siga la receta del paso 3 al 6, ya que no necesita asarlos previamente.

Ñoquis de patata con salsa de tomate

Para 4 personas

INGREDIENTES

350 g de patatas harinosa partidas por la mitad	1 cebolla grande picada	½ cubito de caldo de verduras disuelto en 100 ml de agua hirviendo
75 g de harina de fuerza, y un poco más para espolvorear	2 dientes de ajo picados	
	1 lata de 400 g de tomate triturado	sal y pimienta
2 cucharaditas de orégano seco	2 cucharadas de albahaca cortada en tiras finas	queso parmesano rallado, para servir
2 cucharadas de aceite		

1 Lleve una cazuela grande con agua a ebullición y cueza las patatas durante 12-15 minutos o hasta que estén tiernas. Escúrralas y deje que se enfríen.

2 Pele las patatas y haga un puré añadiéndole sal, pimienta, la harina tamizada y el orégano. Mézclelo todo con las manos para formar una masa.

3 Caliente el aceite en una sartén y fría la cebolla y el ajo unos 3-4 minutos. Añada el tomate y siga friendo, sin tapar, 10 minutos. Luego, salpimente a su gusto.

4 Extienda la masa de patata con el rodillo y forme un cilindro de unos 2,5 cm de diámetro. Córtelo en trocitos de 2,5 cm de largo. Enharínese las manos y presione cada trozo con un tenedor para marcar unas muescas en un lado y la señal de su dedo índice en el otro.

5 A continuación, hierva los ñoquis, en tandas, durante unos 2-3 minutos. Una vez estén cocidos, deberían subir hasta la superficie. Escúrralos bien.

6 Vierta luego la salsa sobre los ñoquis. Adórnelos con las hojas de albahaca, espolvoréelos con pimienta negra recién molida y el parmesano rallado, y sírvalos.

VARIACIÓN

Pruebe a servir estos ñoquis con una salsa pesto (véase pág. 110), para variar.

Ñoquis de sémola al horno

Para 4 personas

INGREDIENTES

425 ml de caldo de verduras	1 huevo batido	2 dientes de ajo machacados
100 g de sémola	50 g de queso parmesano rallado	sal y pimienta
1 cucharada de tomillo	50 g de mantequilla	

1 Ponga el caldo a hervir Añada la sémola en un chorrito continuado, removiendo sin parar durante 3-4 minutos, hasta que la mezcla se espese lo suficiente como para que una cuchara de madera se sostenga de pie. Resérvela y déjela enfriar ligeramente.

2 Añada el tomillo, el huevo y la mitad del queso a la sémola, y salpimente a su gusto.

3 Extienda la mezcla de sémola sobre una tabla hasta formar una capa de unos 12 mm de grosor. Déjela reposar.

4 Cuando la sémola esté fría, córtela en cuadrados de 2,5 cm y reserve los recortes sobrantes.

5 Engrase una fuente para el horno y extienda los recortes de sémola sobre la base. Luego disponga los cuadrados por encima y espolvoréelos con el queso restante.

6 Derrita la mantequilla en un cazo, añada el ajo y sazone con pimienta negra a su gusto. Vierta la mezcla de mantequilla sobre los ñoquis y hornéelos a 220 ºC durante 15-20 minutos, o hasta que se hayan hinchado y estén dorados. Sírvalos calientes.

VARIACIÓN

Pruebe a añadir ½ cucharada de pasta de tomate secado al sol o 50 g de champiñones finamente picados y fritos en mantequilla, en el paso 2. Siga el mismo método de cocción.

Platos principales

Estas recetas describen interesantes y tentadoras maneras
de preparar carnes y pescados, abarcando toda una gama
de comidas típicamente italianas. Después de la pasta,
el pescado es probablemente el alimento principal del país.
Los mercados de pescado italianos resultan fascinantes, con
su enorme variedad, pero como la mayoría de los pescados
provienen del Mediterráneo, no siempre resulta fácil
encontrar su equivalente en otros países. No obstante,
cada vez existen más tipos de pescado importado, tanto
fresco como congelado, en las pescaderías y supermercados.
Este capítulo contiene una variada gama de recetas para
pescado y marisco, todas ellas exquisitas.

En Italia suelen vender casi toda la carne ya deshuesada
y cortada contra la fibra. La ternera es una de las favoritas
y es fácil de encontrar. La carne de cerdo también es
popular, cocinada con infinidad de hierbas aromáticas;
el cerdo asado es el plato tradicional de Umbría.
El cordero suelen servirlo en las ocasiones especiales, ya sea
asado o al horno con vino, ajo y hierbas. Aprovechan todas
las partes del pollo, aunque los menudillos los suelen
reservar para hacer caldo. El pavo, el pato, el ganso
y la pintada también son populares, igual que la caza.
Podrá encontrar conejos silvestres, liebres, jabalíes y
ciervos, especialmente en Cerdeña.

Bacalao estofado con apio

Para 4 personas

INGREDIENTES

250 g de bacalao salado, dejado
en remojo toda la noche
1 cucharada de aceite
4 chalotes finamente picados
2 dientes de ajo picados

3 tallos de apio picados
1 lata de 400 g de tomate
triturado
150 ml de caldo de pescado
50 g de piñones

2 cucharadas de estragón picado
grueso
2 cucharadas de alcaparras
pan crujiente o puré de patatas,
para servir

1 Escurra el bacalao, lávelo
bien bajo el grifo de agua
fría y vuélvalo a escurrir.
Retire y deseche la piel y las
espinas. Séquelo con papel
absorbente y córtelo en
trozos.

2 Caliente el aceite en
una sartén y sofría el
chalote y el ajo 2-3 minutos.
Añada el apio, rehóguelo
unos 2 minutos más,
y luego añada el tomate
y el caldo.

3 Llévelo a ebullición,
baje la temperatura y
cuézalo a fuego lento
durante 5 minutos.

4 Incorpore el bacalao
y hágalo 10 minutos
o hasta que esté tierno.

5 Entretanto ponga los
piñones en una bandeja
para el horno y tuéstelos al
grill unos 2-3 minutos o
hasta que estén dorados.

6 Añada el estragón, las
alcaparras y los piñones
al estofado y déjelo hacerse
a fuego lento hasta que se
hayan calentado.

7 Pase el estofado a platos
individuales y sírvalo
con pan crujiente o con un
puré de patata.

SUGERENCIA

*Resulta muy práctico tener
bacalao salado en la
despensa, ya que una vez
dejado en remojo se puede
utilizar como cualquier otro
pescado, aunque tiene un
sabor más fuerte y es algo
salado. Puede encontrarlo en
las pescaderías, grandes
supermercados y tiendas
especializadas.*

Buñuelos de bacalao

Para 28 unidades

INGREDIENTES

100 g de harina de fuerza
150 g de leche
250 g de bacalao salado dejado
    en remojo toda la noche

1 bulbo de hinojo pequeño picado
1 guindilla roja finamente picada
1 huevo batido
1 cebolla pequeña picada

PARA SERVIR:
ensalada verde, aderezo de
    guindilla, arroz blanco y
    verduras frescas

1 Tamice la harina sobre un cuenco grande. Haga un hoyo en el centro y añada el huevo batido.

2 Con una cuchara mezcle gradualmente el huevo con la harina hasta formar una pasta suave. Déjelo reposar 10 minutos.

3 Escurra el bacalao y lávelo bajo el grifo de agua fría. Vuélvalo a escurrir de nuevo.

4 Retire y deseche la piel y las espinas que pueda tener y, a continuación, desmenuce la carne con un tenedor.

5 Ponga el bacalao en un cuenco y mézclelo con la cebolla, el hinojo y la guindilla. Añada esta mezcla a la pasta de harina y remuévalo todo.

6 Caliente aceite en una sartén y vaya dejando caer en él cucharadas de pasta. Fría los buñuelos en tandas 3-4 minutos por cada lado, o hasta que estén dorados. Manténgalos calientes mientras fríe el resto.

7 Sírvalos con ensalada y un aderezo de guindilla para una comida ligera, o con arroz y verduras.

SUGERENCIA

Para unos buñuelos más grandes ponga 2 cucharadas de pasta por buñuelo.

Salmonetes al estilo de Cerdeña

Para 4 personas

INGREDIENTES

50 g de pasas	1 calabacín cortado en bastoncitos	4 salmonetes
150 ml de vino tinto	2 naranjas	1 lata de 50 g de filetes de anchoa,
2 cucharadas de aceite de oliva	2 cucharaditas de semillas de	escurridos
2 cebollas medianas cortadas	cilantro, ligeramente machacadas	2 cucharadas de orégano fresco

1 Ponga las pasas en un cuenco y déjelas en remojo en el vino tinto durante unos 10 minutos.

2 Caliente el aceite en una sartén grande y saltee la cebolla durante 2 minutos.

3 Añada el calabacín a la sartén y rehóguelo unos 3 minutos o hasta que quede tierno.

4 Con un rallador vaya extrayendo tiras largas y delgadas de una de las naranjas. Luego, pele las 2 naranjas y córtelas en gajos del mismo tamaño.

5 Añada la ralladura de naranja a la sartén y a continuación el vino tinto, las pasas, los salmonetes y las anchoas, y déjelo hacerse a fuego lento 10-15 minutos o hasta que el pescado esté cocido.

6 Incorpore luego el orégano, retire la sartén del fuego y deje enfriar el pescado. A continuación, ponga el guiso en un cuenco grande y guárdelo, cubierto, en la nevera como mínimo 2 horas, para que los sabores se combinen. Una vez transcurrido este tiempo, pase el pescado a platos individuales y sírvalo.

SUGERENCIA

Normalmente encontrará salmonetes congelados todo el año en su pescadería o supermercado si no los hubiera frescos. Si no es así, sustitúyalos por telapia (un tipo de perca). Puede servirlos en caliente.

Arenques con salsa pesto caliente

Para 4 personas

INGREDIENTES

4 arenques enteros o caballas
pequeñas, limpios
2 cucharadas de aceite de oliva

225 g de tomates pelados,
sin semillas y picados
8 filetes de anchoa de lata

unas 30 hojas de albahaca fresca
50 g de piñones
2 dientes de ajo machacados

1 Ase los arenques al grill unos 8-10 minutos por cada lado, o bien hasta que la piel esté ligeramente tostada.

2 Mientras, caliente 1 cucharada del aceite de oliva en una cazuela grande.

3 Incorpore el tomate y las anchoas a la cazuela, y déjelos hacerse a fuego medio durante 5 minutos.

4 Entretanto forme una pasta en la picadora con la albahaca, los piñones, el ajo y el resto del aceite. También puede preparar el pesto de forma manual en el mortero.

5 Añada la salsa pesto a la cazuela con el tomate y las anchoas, sin dejar nunca de remover.

6 Ponga unas cucharadas de salsa pesto en platos individuales calientes, coloque el pescado encima y vierta el resto de salsa sobre el pescado. Sirva el plato inmediatamente.

SUGERENCIA

Ase los arenques en la barbacoa y tendrán un poco más de sabor a leña.

Lenguado relleno a la parrilla

Para 4 personas

INGREDIENTES

1 cucharada de aceite de oliva	3 tomates secados al sol,	4 lenguados pequeños, limpios
25 g de mantequilla	picados	y sin vísceras
1 cebolla pequeña finamente	2 cucharadas de tomillo limonero	sal y pimienta
picada	50 g de pan rallado	gajos de limón, para decorar
1 diente de ajo picado	1 cucharada de zumo de limón	ensalada verde, para servir

1 Caliente el aceite y la mantequilla en una sartén hasta que empiecen a espumear.

2 Sofría el ajo y la cebolla durante 5 minutos, removiendo, o hasta que se hayan ablandado.

3 Para hacer el relleno, mezcle el tomate con el tomillo, el pan rallado y el zumo de limón, y salpimente a su gusto.

4 Pase el relleno a la sartén y remuévalo para mezclar bien todos los ingredientes.

5 Con un cuchillo afilado separe la piel de la espina justo por detrás de la cabeza del pescado, para formar una cavidad. Introduzca luego algunas cucharadas de relleno.

6 A continuación, ase los lenguados al grill precalentado unos 6 minutos por cada lado, o hasta que estén bien dorados.

7 Pase los lenguados rellenos a platos individuales, adórnelos con gajos de limón y sírvalos con unas hojas de lechuga.

SUGERENCIA

El tomillo limonero (Thymus citriodorus) tiene un delicado aroma y sabor a limón. Puede sustituirlo por tomillo común, pero mézclelo con 1 cucharada de ralladura de limón para darle ese sabor extra.

Filetes de lenguado al vino de Marsala

Para 4 personas

INGREDIENTES

CALDO:
600 ml de agua
la piel y las espinas del lenguado
1 cebolla, partida por la mitad
1 zanahoria, partida por la mitad
3 hojas de laurel fresco

SALSA:
1 cucharada de aceite de oliva
15 g de mantequilla
4 chalotes
100 g de champiñones pequeños

1 cucharada de pimienta negra
8 filetes de lenguado
100 ml de vino de Marsala
150 ml de nata líquida espesa

1 Para hacer el caldo ponga el agua, las espinas y la piel del pescado, la cebolla, la zanahoria y el laurel en una cazuela, y llévelo todo a ebullición.

2 Reduzca la temperatura y cuézalo a fuego lento durante 1 hora o hasta que el caldo se haya reducido a unos 150 ml. Cuele el caldo con un colador fino, retire las espinas y la verdura, y resérvelo.

3 Para la salsa, caliente el aceite y la mantequilla en una sartén y fría los chalotes unos 2-3 minutos, sin dejar de remover, hasta que se hayan ablandado.

4 Luego incorpore los champiñones a la sartén y rehóguelos durante 2-3 minutos o hasta que empiecen a dorarse.

5 Agregue la pimienta y el lenguado a la sartén. Fría los filetes 3-4 minutos por cada lado o hasta que estén dorados.

6 Vierta luego el vino y el caldo sobre el pescado, y déjelo a fuego lento unos 3 minutos. Retire los filetes con una pala para pescado o una espumadera, resérvelos y manténgalos calientes.

7 Suba la temperatura y deje hervir la mezcla de la sartén unos 5 minutos, hasta que la salsa se haya reducido y quede espesa.

8 Agregue la nata líquida, vuelva a poner el pescado en la sartén y caliéntelo bien. Sírvalo acompañado de verdura.

Sardinas al horno

Para 4 personas

INGREDIENTES

2 cucharadas de aceite de oliva
2 cebollas grandes cortadas en aros
3 dientes de ajo picados
2 calabacines grandes cortados en juliana

3 cucharadas de tomillo fresco, sin los tallos
8 filetes de sardina o 1 kg de sardinas enteras fileteadas

75 g de queso parmesano rallado
4 huevos batidos
150 ml de leche
sal y pimienta

1 Caliente 1 cucharada de aceite en una sartén y saltee la cebolla y el ajo durante 2-3 minutos.

2 Añada el calabacín y fríalo unos 5 minutos, hasta que esté dorado.

3 A continuación, agregue 2 cucharadas de tomillo a la mezcla.

4 Extienda la mitad de calabacín y de cebolla sobre la base de una fuente refractaria. Deposite los filetes de sardina encima, así como la mitad del queso parmesano.

5 Ponga la parte sobrante del calabacín y de la cebolla sobre las sardinas, y espolvoree con el resto de tomillo.

6 A continuación, bata los huevos con la leche en un bol y salpimente a su gusto. Vierta la mezcla sobre las verduras y las sardinas. Espolvoree con el resto de parmesano rallado.

7 Ponga las sardinas en el horno precalentado a 180 °C y déjelas durante 20-25 minutos, hasta que las sardinas estén bien cocidas y el huevo haya

cuajado. Sirva el plato caliente, directamente sacado del horno.

VARIACIÓN

Si no encuentra sardinas grandes para hacer filetes, puede utilizar caballas.

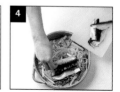

Pescado adobado

Para 4 personas

INGREDIENTES

4 caballas enteras, limpias y sin vísceras	2 cucharadas de aceite de oliva virgen extra	2 dientes de ajo machacados sal y pimienta
4 cucharadas de mejorana picada	la ralladura y el zumo de 1 lima	

1 Raspe la piel de las caballas bajo el grifo a poca presión, para eliminar las escamas.

2 Con un cuchillo afilado haga una incisión en el vientre del pescado y ábralo a lo largo hasta que le cueste deslizar el cuchillo. Deseche las vísceras y lave el pescado. Si lo prefiere, puede quitar también la cabeza, aunque no es necesario.

3 Con un cuchillo afilado haga 4-5 incisiones diagonales en ambos lados del pescado. Deje las caballas en una fuente llana que no sea metálica.

4 Para preparar el adobo, mezcle en un cuenco la mejorana con el aceite de oliva, la ralladura y el zumo de lima, el ajo, la sal y la pimienta.

5 Vierta el adobo sobre el pescado y déjelo macerar en la nevera durante 30 minutos.

6 Ase las caballas al grill unos 5-6 minutos por cada lado, o hasta que estén doradas; úntelas con el adobo reservado de vez en cuando.

7 Pase el pescado a platos individuales y antes de servirlo vierta encima el adobo que pueda quedar.

SUGERENCIA

Si le resulta difícil exprimir la lima, déjela 30 segundos en el microondas a temperatura elevada para que suelte el jugo. Este plato también es delicioso hecho a la barbacoa.

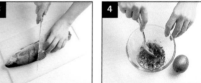

Caballa a la naranja

Para 4 personas

INGREDIENTES

2 cucharadas de aceite de oliva
4 cebolletas picadas
50 g de almendras molidas

1 cucharada de copos de avena
50 g de aceitunas laminadas
8 filetes de caballa

2 naranjas
sal y pimienta
ensalada verde, para servir

1 Caliente el aceite en una sartén y fría la cebolleta unos 2 minutos.

2 Ralle la piel de las naranjas bien fina y a continuación pélelas y retire la parte blanca de la piel con un cuchillo afilado.

3 Corte las naranjas en gajos, trabajando sobre un bol para aprovechar el jugo que pueda caer. Corte cada gajo por la mitad.

4 Tueste ligeramente la almendra molida bajo el grill precalentado unos 2-3 minutos o hasta que esté dorada. No deje nunca de vigilarla, porque se tuesta en muy poco tiempo.

5 Mezcle entonces en un cuenco la cebolleta con la naranja, la almendra tostada, los copos de avena y las aceitunas, y salpimente luego a su gusto.

6 A continuación, tome una cuchara y deposite la mezcla a lo largo de la parte central de cada filete de pescado. Enróllelos y sujételos con un palillo o pincho firmemente.

7 Póngalos en el horno precalentado a 190 °C y déjelos durante 25 minutos, hasta que los filetes de caballa estén tiernos.

8 Colóquelos en platos individuales y sírvalos calientes acompañados con una ensalada verde.

Bacalao a la italiana

Para 4 personas

INGREDIENTES

25 g de mantequilla

50 g de pan rallado integral

25 g de nueces picadas

la ralladura y el zumo de 2 limones

2 ramitos de romero, sin los tallos

2 cucharadas de perejil picado

4 filetes de bacalao, de unos 150 g cada uno

1 diente de ajo machacado

3 cucharadas de aceite de nuez

1 guindilla roja pequeña troceada

ensalada verde, para servir

1 Derrita la mantequilla en una sartén grande.

2 Retire luego la sartén del fuego y añada la ralladura y el zumo de 1 limón, el pan rallado, las nueces y la mitad del romero y del perejil.

3 Presione la mezcla de pan rallado sobre la parte superior de los filetes de bacalao. Deposite los filetes en una bandeja con papel de aluminio para evitar que se peguen.

4 Hornee el pescado en el horno precalentado a 200°C de 25 a 30 minutos.

5 Mezcle el ajo con el resto de la ralladura y el zumo de limón, el romero y el perejil, así como con la guindilla. Añada el aceite de nuez y remuévalo. Aliñe los filetes de bacalao con la mezcla una vez horneados.

6 Páselos a platos individuales y sírvalos.

VARIACIÓN

Si lo prefiere, puede prescindir de las nueces. Asimismo, puede utilizar también aceite de oliva virgen extra en lugar del de nuez.

SUGERENCIA

El sabor picante de las guindillas varía, así que utilícelas con prudencia. En general, cuanto más pequeña, más picante es la guindilla.

Mejillones estofados

Para 4 personas

INGREDIENTES

1 kg de mejillones	1 cebolla finamente picada	100 g de *passata*
150 ml de vino blanco	3 dientes de ajo picados	1 cucharada de mejorana picada
1 cucharada de aceite de oliva	1 guindilla roja finamente picada	tostadas o pan crujiente, para servir

1 Frote los mejillones para eliminar toda la arena o impurezas que pudieran tener.

2 Retire las barbas de los mejillones tirando de ellas. Lávelos en un cuenco con agua limpia. Descarte aquellos que no se abran al golpearlos: eso significa que están muertos y no debería comerlos.

3 Ponga los mejillones en una cazuela grande. Vierta el vino y déjelos cocer durante 5 minutos o hasta que se abran, agitando de vez en cuando la cazuela. Retire y descarte los mejillones que no se hayan abierto.

4 Retírelos de la cazuela con una espumadera. Cuele el líquido de cocción a través de un colador fino colocado sobre un cuenco y reserve el líquido.

5 Caliente el aceite en una sartén. Rehogue en ella la cebolla, el ajo y la guindilla 4-5 minutos.

6 Añada el líquido de cocción reservado y déjelo cocer durante unos 5 minutos o hasta que se haya reducido.

7 Ahora, incorpore la *passata*, la mejorana y los mejillones, y déjelos hasta que estén calientes.

8 Páselos a cuencos individuales y sírvalos con pan tostado o crujiente, para mojar en la salsa.

SUGERENCIA

Los aguamaniles son boles individuales con agua caliente y una rodaja de limón que sirven para lavarse los dedos al final de una comida.

Calamares rellenos

Para 4 personas

INGREDIENTES

8 calamares limpios y sin vísceras, pero enteros (pídale a su pescadero que se los prepare) 6 anchoas de lata, picadas	2 dientes de ajo picados 2 cucharadas de romero, sin el tallo y con las agujas picadas 2 tomates secados al sol, picados 150 ml de pan rallado	1 cucharada de aceite de oliva 1 cebolla finamente picada 200 ml de vino blanco 200 ml de caldo de pescado arroz blanco, para servir

1 Retire los tentáculos del calamar y córtelos en trozos pequeños.

2 Machaque luego en un mortero las anchoas con el ajo, el romero y el tomate hasta formar una pasta.

3 Añada el pan rallado y los tentáculos de calamar picados, y mézclelos. Si la combinación resultara demasiado seca para formar una pasta espesa, añádale un poco de agua.

4 Rellene los calamares con la pasta y ate un trozo de hilo alrededor del extremo para que el relleno no se salga.

5 Caliente el aceite en una sartén y fría la cebolla durante 3-4 minutos o hasta que esté dorada.

6 Incorpore los calamares rellenos y fríalos unos 3-4 minutos, hasta que estén dorados por ambos lados.

7 Agregue luego el vino y el caldo, y lleve todo a ebullición. Baje un poco la temperatura, cubra la sartén y deje a fuego lento durante 15 minutos.

8 Retire la tapa y deje cocer 5 minutos más, hasta que el calamar esté tierno y el líquido se haya reducido. Sírvalos con arroz blanco.

SUGERENCIA

Si no encuentra calamares enteros, utilícelos troceados y añada el relleno a la salsa, con el vino y el caldo.

Estofado de buey

Para 4 personas

INGREDIENTES

1 cucharada de aceite

1 cucharada de mantequilla

225 g de cebollitas, cortadas
por la mitad

600 g de carne de buey para guisar,
cortada en dados de 4 cm

300 ml de caldo de carne

150 ml de vino tinto

4 cucharadas de orégano
picado

1 cucharada de azúcar

1 naranja

25 g de setas *porcini* o cualquier
otro tipo de seta seca

225 g de tomates pera

arroz blanco o patatas,
para acompañar

1 Caliente el aceite y
la mantequilla en una
sartén, y saltee la cebolla
unos 5 minutos, hasta que
esté dorada. Retírela con
una espumadera, resérvela
y manténgala caliente.

2 Incorpore la carne a la
sartén y rehóguela unos
5 minutos, removiendo, o
hasta que esté dorada.

3 Ahora, añada la cebolla
a la sartén y agregue el
caldo, el vino, el orégano y el
azúcar, sin dejar de remover.
Pase la mezcla a una cazuela
refractaria.

4 Pele la naranja y corte
la piel en tiras delgadas.
Corte la naranja en rodajas y
añádalas, junto con las tiras
de piel, a la cazuela. Póngala
en el horno precalentado a
180 °C y déjela 1 hora.

5 Deje las setas en remojo
durante 30 minutos en
un cuenco pequeño con
4 cucharadas de agua
caliente.

6 Pele los tomates y
pártalos por la mitad.
Incorpore el tomate, las setas
y el líquido del remojo a
la cazuela. Cuézalo otros

20 minutos hasta que la
carne esté tierna y el líquido
se haya espesado. Sirva el
estofado acompañado con
arroz blanco o, si lo prefiere,
con patatas.

VARIACIÓN

*En lugar de tomate fresco
puede utilizar 8 tomates
secados al sol, cortados en
tiras anchas, si así lo prefiere.*

Libritos de lomo con ajo y limón

Para 4 personas

INGREDIENTES

450 g de lomo de cerdo

50 g de almendras picadas

2 cucharadas de aceite de oliva

100 g de jamón finamente picado

2 dientes de ajo picados

1 cucharada de orégano fresco, picado

la ralladura fina de 2 limones

4 chalotes finamente picados

200 ml de caldo de jamón o de pollo

1 cucharadita de azúcar

1 Con un cuchillo bien afilado corte el lomo de cerdo en 4 trozos iguales. Colóquelos entre láminas de papel parafinado y golpéelos con la maza de cocina o el extremo de un rodillo, para aplanarlos.

2 Haga una incisión horizontal en cada trozo de carne para abrir los libritos.

3 Extienda la almendra sobre una bandeja para el horno y tuéstela bajo el grill, a temperatura media, durante 2-3 minutos o hasta que esté dorada.

4 Mezcle la almendra con 1 cucharada de aceite de oliva, el jamón picado, el ajo, el orégano y la ralladura de 1 limón. Rellene luego los libritos de lomo con esta mezcla.

5 Caliente el resto de aceite en una sartén grande y fría el chalote durante 2-3 minutos.

6 Incorpore los libritos a la sartén y fríalos unos 2 minutos por cada lado, hasta que estén dorados.

7 Agregue el caldo, llévelo a ebullición, cúbralo y déjelo cocer a fuego lento 45 minutos o hasta que la carne esté tierna. A continuación, retírela de la sartén, resérvela y manténgala caliente.

8 Con un raspador, ralle la piel del otro limón, añada la ralladura y el azúcar a la sartén, y deje que hierva durante unos 3-4 minutos o hasta que el líquido se haya reducido y esté almibarado. Viértalo sobre los libritos de lomo y sírvalos enseguida.

Chuletas de cerdo con hinojo y enebro

Para 4 personas

INGREDIENTES

½ bulbo de hinojo	unas 2 cucharadas de aceite de oliva	4 chuletas de cerdo de unos
1 cucharada de bayas de enebro	la ralladura fina y el zumo de	150 g cada una
ligeramente machacadas	1 naranja	pan fresco y ensalada verde

1 Con un cuchillo afilado pique el hinojo bien fino, desechando las partes verdes.

2 Muela las bayas de enebro en un mortero y después mézclalas con el hinojo, el aceite de oliva y la ralladura de naranja.

3 A continuación, haga unas cuantas incisiones en cada una de las chuletas con la ayuda de un cuchillo bien afilado.

4 Coloque las chuletas en una bandeja o fuente para el horno. Extienda la mezcla de hinojo y enebro por encima de la carne.

5 Vierta con cuidado el zumo de naranja sobre las chuletas, cúbralas y déjelas macerar en la nevera durante 2 horas.

6 Ase las chuletas al grill 10-15 minutos, dependiendo del grosor de la carne, hasta que estén tiernas y hechas. Déles la vuelta de vez en cuando.

7 Pase las chuletas a platos individuales y sírvalas con una ensalada verde y abundante pan fresco para mojar en la salsa.

SUGERENCIA

Solemos asociar las bayas de enebro con la ginebra, pero en Italia también las utilizan para preparar platos de carne debido a su delicado sabor cítrico. Puede comprarlas secas en la gran mayoría de tiendas de dietética.

Cerdo guisado con leche

Para 4 personas

INGREDIENTES

800 g de pierna de cerdo deshuesada	2 dientes de ajo picados	1 cucharada de granos de
1 cucharada de aceite	75 g de panceta cortada en dados	pimienta verde machacados
25 g de mantequilla	1,2 litros de leche	2 cucharadas de mejorana
1 cebolla picada	2 hojas de laurel fresco	2 cucharadas de tomillo

1 Con un cuchillo bien afilado retire la grasa de la carne. Déle forma redondeada al trozo de carne y átelo con un cordel.

2 Caliente el aceite y la mantequilla en una cazuela grande y fría la cebolla con el ajo y la panceta durante 2-3 minutos.

3 Añada la carne de cerdo a la cazuela y déjela hasta que esté bien dorada, dándole la vuelta de vez en cuando.

4 Vierta la leche sobre la carne, agregue la pimienta, las hojas de laurel, la mejorana y el tomillo, y déjelo cocer a fuego lento 1¼-1½ horas, o hasta que la carne esté tierna. Vigile la cocción durante los últimos 15 minutos, ya que el líquido se reduce muy rápidamente y podría quemarse la carne. Si el caldo se ha reducido y la carne todavía no está tierna, añada otros 100 ml de leche y prosiga con el guiso. Reserve el líquido de cocción.

5 Retire la carne y córtela en lonchas. Colóquelas en platos individuales y sírvalas inmediatamente acompañadas de la salsa (véase *Sugerencia*).

SUGERENCIA

A medida que la leche se vaya reduciendo, observará que forma una salsa espesa y cremosa, ligeramente grumosa pero de un sabor delicioso.

Escalopes de cerdo a la napolitana

Para 4 personas

INGREDIENTES

2 cucharadas de aceite de oliva
1 diente de ajo picado
1 cebolla grande en rodajas
1 lata de 400 g de tomate

2 cucharaditas de extracto
de levadura
4 escalopes de cerdo de unos
125 g cada uno

75 g de aceitunas negras
2 cucharadas de albahaca fresca,
cortada en tiras
queso parmesano recién rallado

1 Caliente el aceite en una sartén grande y sofría la cebolla y el ajo, sin dejar de remover, durante 3-4 minutos o hasta que empiecen a ablandarse.

2 Añada el tomate y el extracto de levadura a la sartén y déjelo cocer a fuego lento durante unos 5 minutos o hasta que la salsa empiece a espesarse.

3 Ase los escalopes al grill precalentado durante unos 5 minutos por cada lado, hasta que la carne esté dorada y cocida. Resérvelos y manténgalos calientes.

4 Añada las aceitunas y la albahaca a la salsa de la sartén y remuévala para que todo quede bien mezclado.

5 Pase los escalopes a platos individuales calientes, vierta la salsa por encima, espolvoréelos con el parmesano rallado y sírvalos inmediatamente.

SUGERENCIA

El parmesano es un queso duro y seco elaborado en Italia. Sólo precisa añadir una pizca a los platos, ya que tiene un sabor muy fuerte.

SUGERENCIA

Existen muchos tipos de tomate envasado, como por ejemplo el tomate pera entero, o salsas de tomate como la passata. La variedad picada suele llevar algún condimento, como ajo, albahaca, guindilla o hierbas aromáticas, y es un buen producto para tener a mano en su despensa.

Cordero a la romana

Para 4 personas

INGREDIENTES

1 cucharada de aceite de oliva

15 g de mantequilla

600 g de cordero (espalda o pierna) cortado en dados de 2,5 cm

4 dientes de ajo pelados

3 ramitas de tomillo, sin los tallos

6 filetes de anchoa de lata

150 ml de vino tinto

150 ml de caldo

1 cucharadita de azúcar

50 g de aceitunas negras, partidas por la mitad

2 cucharadas de perejil picado, para adornar

puré de patatas, para servir

1 Caliente el aceite y la mantequilla en una sartén y sofría luego los dados de cordero durante 4-5 minutos, removiendo, o hasta que la carne esté dorada.

2 A continuación, forme una pasta majando el ajo con el tomillo y las anchoas en un mortero.

3 Incorpore el vino y el caldo de cordero o de verduras a la sartén, y añada luego la pasta de ajo y de anchoa junto con el azúcar.

4 Llévelo a ebullición, baje la temperatura, cúbralo y cuézalo a fuego lento 30-40 minutos o hasta que la carne esté tierna. Retire la tapa de la sartén durante los últimos 10 minutos de cocción; así la salsa se reducirá un poco.

5 Añada las aceitunas y mézclelas bien con la salsa.

6 Pase la carne, junto con con su salsa, a un cuenco y adórnela con el perejil fresco. Sírvala acompañada de un puré de patatas.

SUGERENCIA

En la ciudad de Roma convergen las especialidades culinarias de todo el país. La comida suele ser bastante sencilla y rápida de preparar y lleva abundantes hierbas aromáticas y condimentos que dan a los platos un sabor intenso.

Medallones de cordero con laurel y limón

Para 4 personas

INGREDIENTES

4 chuletas de cordero	150 ml de vino blanco	2 hojas de laurel
1 cucharada de aceite	150 ml de caldo de cordero o de	la piel de 1 limón
15 g de mantequilla	verdura	sal y pimienta

1 Con un cuchillo afilado retire con cuidado el hueso de cada chuleta, sin estropear la carne. También puede pedirle a su carnicero que le prepare él mismo los medallones.

2 Enrolle luego las chuletas y átelas con un cordel.

3 En una sartén grande, caliente el aceite y la mantequilla hasta que ésta empiece a espumear. Añada los medallones a la sartén y fríalos unos 2-3 minutos por cada lado, hasta que estén bien dorados.

4 Retire la sartén del fuego y descarte toda la grasa.

5 Vuelva a poner la sartén en el fuego, agregue el vino, el caldo, las hojas de laurel y la piel de limón, y deje cocer la carne durante 20-25 minutos.

6 Sazone la carne y la salsa a su gusto con un poco de sal y de pimienta.

7 Pase los medallones de carne a platos individuales, quíteles el cordel y sírvalos con su salsa.

SUGERENCIA

Si no está muy segura de cómo hacerlo, su carnicero habitual le aconsejará sobre cómo preparar los medallones.

Pollo marengo

Para 4 personas

INGREDIENTES

1 cucharada de aceite de oliva

8 trozos de pollo

300 g de *passata*

200 ml de vino blanco

2 cucharaditas de hierbas mixtas

8 rebanadas de pan blanco

40 g de mantequilla derretida

2 dientes de ajo machacados

100 g de setas y champiñones variados

40 g de aceitunas negras picadas

1 cucharadita de azúcar

albahaca fresca, para adornar

1 Deshuese los trozos de pollo con un cuchillo afilado.

2 Caliente el aceite en una sartén y fría el pollo durante 4-5 minutos, dándole la vuelta de vez en cuando, o hasta que esté dorado.

3 Añada la *passata*, el vino y la mezcla de hierbas a la sartén. Llévelo a ebullición y cuézalo a fuego lento durante 30 minutos, o hasta que el pollo esté tierno y el jugo salga claro al pinchar la parte más gruesa de la carne con un tenedor.

4 Mezcle la mantequilla derretida con el ajo. Tueste ligeramente el pan y úntelo con la mantequilla de ajo.

5 Ponga el resto del aceite en una sartén aparte y saltee las setas 2-3 minutos o hasta que estén ligeramente doradas.

6 Agregue las aceitunas y el azúcar a la sartén con el pollo y caliéntelo bien.

7 Finalmente, pase el pollo con su salsa a platos individuales y sírvalo con el pan tostado y las setas.

SUGERENCIA

Si dispone de tiempo deje macerar los trozos de pollo en vino y hierbas durante 2 horas en la nevera. Eso hará que la carne quede más tierna y aumentará el sabor a vino de la salsa.

Pollo con jamón curado

Para 4 personas

INGREDIENTES

4 pechugas de pollo sin piel
100 g de queso cremoso con
hierbas y ajo

8 lonchas de jamón curado
150 ml de vino tinto
150 ml de caldo de pollo

1 cucharada de azúcar moreno

1 Con la ayuda de un cuchillo afilado, haga una incisión horizontal a lo largo de cada pechuga, para formar una cavidad.

2 Aplaste el queso con una cuchara de palo para hacer una pasta. Rellene las pechugas con ella.

3 Recubra las pechugas con 2 lonchas de jamón cada una y átelas con un trozo de cordel.

4 Vierta el vino y el caldo en una sartén grande y llévelo a ebullición. Cuando la mezcla empiece a hervir, añada el azúcar y remuévalo para disolverlo.

5 Incorpore las pechugas de pollo a la sartén y déjelas a fuego lento durante 12-15 minutos, o hasta que estén cocidas y el jugo salga claro al pincharlas con un tenedor.

6 A continuación, retire el pollo de la sartén, resérvelo y manténgalo caliente.

7 Vuelva a calentar la salsa y déjela hervir hasta que se haya reducido y espesado. Quite el cordel de las pechugas y córtelas en lonchas. Vierta la salsa sobre el pollo y sírvalo.

VARIACIÓN

Si lo desea, puede añadirle al queso 2 tomates secados al sol finamente picados, en el paso 2.

Pollo con vinagre balsámico

Para 4 personas

INGREDIENTES

4 muslos de pollo deshuesados	3 cucharadas de vinagre de vino	3 cucharadas de vinagre balsámico
2 dientes de ajo machacados	blanco	2 cucharadas de tomillo fresco
200 ml de vino tinto	1 cucharada de aceite	sal y pimienta
4 chalotes	15 g de mantequilla	polenta o arroz blanco, para servir

1 Con un cuchillo afilado haga unas cuantas incisiones en la piel de los muslos. Frote el pollo con el ajo machacado y déjelo en una fuente no metálica.

2 Vierta el vino y el vinagre de vino blanco sobre los muslos de pollo y sazónelos a su gusto con sal y pimienta. Cúbralos y déjelos macerar luego en la nevera toda la noche.

3 Ahora, retire los trozos de pollo con una espumadera, escúrralos bien y reserve a continuación el líquido del adobo.

4 Caliente el aceite y la mantequilla y fría los chalotes 2-3 minutos o hasta que empiecen a ablandarse.

5 Incorpore el pollo y rehóguelo 3-4 minutos, dándole la vuelta, hasta que esté dorado. Baje el fuego y añada la mitad del adobo reservado. Cúbralo y déjelo cocer 15-20 minutos, agregando más adobo cuando sea necesario.

6 Una vez el pollo esté tierno, incorpore el vinagre balsámico y el tomillo, y déjelo en el fuego durante 4 minutos más.

7 Pase el pollo y la salsa a platos individuales, y sírvalo con polenta o arroz.

SUGERENCIA

Para que los trozos de pollo queden más atractivos, sujételos con unos pinchos de cocina o átelos con un trozo de cordel.

Saltimbocca

Para 4 personas

INGREDIENTES

4 filetes de pavo o 4 escalopes de
ternera, de unos 450 g en total
8 hojas de salvia

100 g de jamón curado
1 cucharada de aceite de oliva
1 cebolla finamente picada

200 ml de vino blanco
200 ml de caldo de pollo

1 Ponga el pavo o la ternera entre láminas de papel parafinado y golpee la carne con una maza de cocina o el extremo de un rodillo para aplanarla un poco. Corte cada escalope por la mitad.

2 Recorte el jamón para que encaje sobre cada trozo de carne y colóquelo encima con dos hojas de salvia. Enróllelos y sujételos con un palillo.

3 Caliente el aceite en una sartén y sofría la cebolla durante 3-4 minutos. Añada luego los rollitos de carne y rehóguelos 5 minutos, hasta que estén bien dorados.

4 Vierta el vino y el caldo en la sartén, y déjelo a fuego suave durante unos 15 minutos si utiliza pavo, o 20 minutos si es ternera, hasta que la carne esté tierna. Sírvala enseguida.

VARIACIÓN

Pruebe una receta similar llamada bocconcini, *que significa "bocaditos". Siga el mismo método pero sustituya la salvia por un trocito de queso gruyer.*

SUGERENCIA

Si utiliza pavo en lugar de ternera, vigile la carne durante la cocción, ya que si la cuece en exceso quedará reseca.

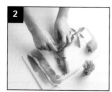

Escalopes con salami y alcaparras

Para 4 personas

INGREDIENTES

1 cucharada de aceite de oliva
6 filetes de anchoa de lata
1 cucharada de alcaparras
1 cucharada de romero
 fresco

la ralladura fina y el zumo
 de 1 naranja
75 g de salami italiano,
 troceado
3 tomates, sin piel y picados

4 escalopes de pavo o de ternera,
 de unos 125 g cada uno
sal y pimienta
pan crujiente o polenta cocida

1 Caliente el aceite en una sartén grande, añada los filetes de anchoa, las alcaparras, el romero, la piel y el zumo de naranja, el salami y el tomate, y rehóguelos 5-6 minutos, removiendo de vez en cuando.

2 Ponga luego los escalopes de pavo o de ternera entre láminas de papel parafinado y golpéelos con una maza de cocina o el extremo de un rodillo para aplanarlos.

3 Ponga la carne en la sartén, sazónela a su gusto con sal y pimienta, cúbrala y fríala 3-5 minutos por cada lado, o un poco más si fuera gruesa.

4 Ponga los escalopes en platos individuales y sírvalos con pan o polenta.

VARIACIÓN

Pruebe a utilizar bistecs de carne ligeramente aplanados, en lugar de pavo o ternera. Rehóguelos 4-5 minutos en la misma salsa de la sartén.

SUGERENCIA

La polenta es un ingrediente típico de la cocina del norte de Italia. Se suele freír o tostar y se utiliza para mojar la salsa del plato principal.

Estofado de salchichas y alubias

Para 4 personas

INGREDIENTES

8 salchichas italianas

1 cucharada de aceite de oliva

1 cebolla grande picada

2 dientes de ajo picados

1 pimiento verde

225 g de tomates frescos, sin piel
y picados, o 1 lata de 400 g
de tomate triturado

2 cucharadas de pasta de tomates
secados al sol

1 lata de 400 g de alubias blancas

puré de patatas o arroz, para servir

1 Quite las semillas del pimiento y córtelo en tiras delgadas.

2 Pinche las salchichas con un tenedor y áselas al grill precalentado durante 10-12 minutos, dándoles la vuelta de vez en cuando, hasta que estén bien doradas. Resérvelas y manténgalas calientes.

3 Caliente el aceite en una sartén y fría la cebolla, el ajo y el pimiento durante 5 minutos, removiendo de vez en cuando, o hasta que se hayan ablandado.

4 Incorpore el tomate a la sartén y deje la mezcla a fuego lento unos 5 minutos, removiendo de vez en cuando, o hasta que se haya reducido ligeramente y espesado.

5 Agregue la pasta de tomate, las alubias y la salchicha a la mezcla de la sartén. Déjelo cocer durante 4-5 minutos o hasta que esté todo bien caliente. Agregue 4-5 cucharadas de agua si la mezcla se secara demasiado durante la cocción.

6 Pase el estofado a platos individuales y sírvalo con puré de patatas o arroz blanco.

SUGERENCIA

Las salchichas italianas tienen una textura gruesa y un sabor fuerte. Puede encontrarlas en tiendas especializadas y en algunos supermercados grandes. Para esta receta sólo podría sustituirlas por salchichas elaboradas con carne de caza.

Pizzas y panes

No hay muchos platos que puedan competir con el irresistible aroma y sabor de una pizza recién hecha y horneada en un fuego de leña. Una base preparada en casa y una salsa de tomate recién hecha es lo que más se parece a una auténtica pizza italiana. Las pizzas pueden llevar todos los ingredientes imaginables. Existen innumerables variedades de salamis y embutidos, jamón y salchichas, y todos constituyen estupendas coberturas. El pescado o marisco fresco o envasado también queda bien. Puede elaborar las más tentadoras y atractivas pizzas con todo tipo de verduras. Escoja las de mejor calidad, así como las hierbas más aromáticas. En este capítulo, encontrará una gran variedad de antipasti, como corazones de alcachofa, tomates secados al sol, pimientos y setas, con los que preparar deliciosas coberturas. También puede rociar la pizza con aceite antes de hornearla para humedecer un poco la base.

No hay nada igual al aroma de pan recién horneado, y los italianos son expertos en el tema. Saben aunar los sabores del Mediterráneo, impregnados de sol, con un pan deliciosamente fresco y crujiente: una combinación que no puede fallar. Con los panes que aquí se presentan podrá mojar la deliciosa salsa de muchos platos italianos; o también podrá comerlos solos, como un sabroso tentempié.

Pizza margarita

Para 4 personas

INGREDIENTES

MASA BÁSICA PARA PIZZA:	COBERTURA:	100 g de mozzarella cortada
7 g de levadura seca	1 lata de 400 g de tomate	en trocitos
1 cucharadita de azúcar	triturado	2 cucharadas de queso
250 ml de agua tibia	2 dientes de ajo machacados	parmesano recién rallado
350 g de harina de trigo duro	2 cucharaditas de albahaca seca	sal y pimienta
1 cucharadita de sal	1 cucharada de aceite de oliva	
1 cucharada de aceite de oliva	2 cucharadas de pasta de tomate	

1 Ponga la levadura y el azúcar en un vaso de medir, y mézclelos con 50 ml de agua. Deje la mezcla en un lugar cálido unos 15 minutos o hasta que haga espuma.

2 Mezcle la harina con la sal en un cuenco y haga un hoyo en el centro. Añada el aceite, la mezcla de levadura y el resto del agua. Remuévalo para formar una masa.

3 Deposite la masa sobre una superficie con harina y trabájela durante 4-5 minutos.

4 Vuelva a dejar la masa en el cuenco, cúbrala con un trozo de plástico de cocina engrasado y déjela fermentar durante unos 30 minutos, o hasta que haya doblado su tamaño.

5 Trabaje la masa durante unos 2 minutos, estírela con las manos y colóquela sobre una bandeja bien engrasada, estirando los bordes hasta obtener un grosor uniforme y haber conseguido la forma que desee. No debería tener más de 6 mm de altura.

6 Para la cobertura, ponga el tomate, el ajo, la albahaca, el aceite de oliva y sal y pimienta a su gusto en una sartén grande. Cueza la salsa a fuego lento durante 20 minutos o hasta que se haya espesado. Añada la pasta de tomate y deje enfriar un poco.

7 Extienda la cobertura de manera uniforme sobre la base. Remate con los trocitos de mozzarella y el parmesano rallado, y hornéela a 200 °C durante 20-25 minutos. Sirva la pizza caliente.

Pizza gorgonzola

Para 4 personas

INGREDIENTES

MASA PARA PIZZA:
7 g de levadura seca
1 cucharadita de azúcar
250 ml de agua tibia
175 g de harina integral
175 g de harina de trigo duro

1 cucharadita de sal
1 cucharada de aceite de oliva

COBERTURA:
400 g de calabaza, pelada y
  cortada en dados

1 cucharada de aceite de oliva
1 pera, sin corazón, pelada y
  cortada en rodajas
100 g de queso gorgonzola
1 ramita de romero fresco,
  para adornar

1 Ponga la levadura y el azúcar en un vaso de medir, y mézclelos con 50 ml de agua. Déjelo en un lugar cálido durante 15 minutos o hasta que forme espuma.

2 Mezcle ambas harinas con la sal y haga un hoyo en el centro. Añada el aceite, la mezcla de levadura y el resto del agua. Remueva hasta que se forme una masa.

3 Pase la masa a una superficie enharinada y amásela durante 4-5 minutos o hasta que esté suave.

4 Vuelva a poner la masa en el cuenco, cúbrala con una lámina de plástico de cocina engrasada y déjela fermentar unos 30 minutos, hasta que haya doblado su tamaño.

5 Retire la masa del cuenco y amásela. Con un rodillo extienda la masa hasta obtener una forma ovalada, y colóquela sobre una bandeja para el horno engrasada, estirando los bordes hasta que tenga un grosor uniforme. No debería tener más de 6 mm de altura, ya que subirá con la cocción.

6 Para preparar la cobertura ponga la calabaza en una bandeja. Alíñela con el aceite de oliva y ásela al grill durante 20 minutos o hasta que esté ligeramente dorada.

7 Deposite la calabaza y las rodajas de pera sobre la base de pizza, y úntelas con el aceite de la bandeja. Espolvoree con el gorgonzola. Hornee en el horno precalentado a 200 °C unos 15 minutos o hasta que la base esté dorada. Decore la pizza con una ramita de romero.

Pizza de cebolla, jamón y queso

Para 4 personas

INGREDIENTES

1 porción de masa básica para
pizza (véase pág. 196)

COBERTURA:
2 cucharadas de aceite de oliva

250 g de cebollas cortadas en aros
2 dientes de ajo machacados
1 pimiento rojo cortado en dados
100 g de jamón curado cortado
en tiras finas

100 g de mozzarella cortada
en lonchas
2 cucharadas de romero,
sin el tallo y picado grueso

1 Ponga la levadura y el azúcar en un vaso de medir y mézclelos con 50 ml de agua. Deje la mezcla en un lugar cálido unos 15 minutos o hasta que forme espuma.

2 Mezcle la harina con la sal en un cuenco y haga un hoyo en el centro. Añada el aceite, la mezcla de levadura y el resto del agua. Con una cuchara de madera, remuévalo hasta formar una masa.

3 Pase luego la masa a una superficie enharinada y amásela durante 4-5 minutos o hasta que esté suave. Vuelva a ponerla en el cuenco, cúbrala con una lámina de plástico de cocina y déjela fermentar unos 30 minutos, o hasta que haya doblado su tamaño.

4 A continuación, trabaje la masa 2 minutos más. Con un rodillo extiéndala hasta obtener una forma cuadrada y colóquela sobre una bandeja para el horno engrasada, estirando los bordes hasta que tenga un grosor uniforme. No debería tener más de 6 mm de altura, ya que subirá con la cocción.

5 Para preparar la cobertura caliente el aceite en una sartén y sofría la cebolla y el ajo unos 3 minutos. Añada el pimiento y rehóguelo 2 minutos más.

6 Cubra la sartén y rehogue la verdura a fuego lento unos 10 minutos, removiendo de vez en cuando, hasta que la cebolla esté caramelizada. Déjela enfriar ligeramente.

7 Extienda la cobertura sobre la base de la pizza y añada las tiras de jamón curado, la mozzarella y el romero. Introduzca la pizza en el horno precalentado a 200 °C y déjela 20-25 minutos. Sírvala caliente.

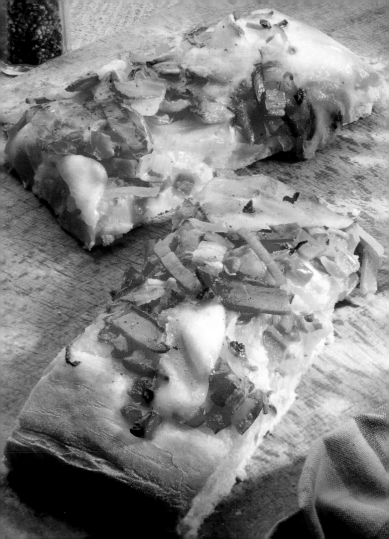

Pizza de ricota y tomates secados al sol

Para 4 personas

INGREDIENTES

1 porción de masa básica para pizza (véase pág. 196)

COBERTURA:
4 cucharadas de pasta de tomates secados al sol

10 tomates secados al sol
1 cucharada de tomillo fresco
150 g de queso ricota

1 Ponga la levadura y el azúcar en un vaso de medir, y mézclelos con 50 ml de agua. Deje la mezcla en un lugar cálido durante 15 minutos o hasta que forme espuma.

2 Mezcle la harina con la sal en un cuenco y haga un hoyo en el centro. Añada el aceite, la mezcla de levadura y el resto del agua. Con una cuchara de madera remueva hasta formar una masa.

3 Pase luego la masa a una superficie enharinada y trabájela durante unos 4-5 minutos o hasta que esté bien suave.

4 Vuelva a poner la masa en el cuenco, cúbrala con una lámina de plástico de cocina y déjela fermentar 30 minutos o hasta que haya doblado su tamaño.

5 Retire la masa del cuenco y trabájela 2 minutos más.

6 Con un rodillo extienda la masa para formar un círculo y colóquelo sobre una bandeja para el horno, estirando los bordes hasta obtener un grosor uniforme. No debería tener más de 6 mm de altura, ya que subirá con la cocción.

7 Extienda la pasta de tomates secados al sol

sobre la base de la masa y añada unas cucharadas de queso ricota.

8 Corte los tomates secados al sol en tiras y colóquelas sobre la pizza.

9 Espolvoree con el tomillo y salpimente a su gusto. Cueza la pizza en el horno precalentado a 200 °C durante 30 minutos o hasta que la base esté dorada. Sírvala caliente.

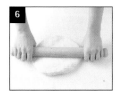

Pizza de champiñones

Para 4 personas

INGREDIENTES

1 porción de masa básica para pizza (véase pág. 196)	COBERTURA: 1 lata de 400 g de tomate triturado 2 dientes de ajo picados 1 cucharadita de albahaca seca 1 cucharada de aceite de oliva	2 cucharadas de pasta de tomate 200 g de champiñones 150 g de mozzarella rallada sal y pimienta hojas de albahaca, para adornar

1 Ponga la levadura y el azúcar en un vaso de medir, y mézclelos con 50 ml de agua. Deje la mezcla en un lugar cálido unos 15 minutos, o hasta que forme espuma.

2 Mezcle la harina con la sal en un cuenco y haga un hoyo en el centro. Añada el aceite, la mezcla de levadura y el resto del agua. Remuévalo bien hasta que se forme una masa.

3 Pase la masa a una superficie enharinada y trabájela durante 4-5 minutos o hasta que esté suave. Vuelva a colocarla en el cuenco, cúbrala con una lámina de plástico de cocina y déjela fermentar 30 minutos, o hasta que haya doblado su tamaño.

4 Retire la masa del cuenco y trabájela 2 minutos más. Con un rodillo, extiéndala hasta obtener una forma ovalada o circular, y luego colóquela sobre una bandeja para el horno engrasada, estirando los bordes hasta que tenga un grosor uniforme. No debería tener más de 6 mm de altura, ya que subirá con la cocción.

5 Con un cuchillo, corte los champiñones en láminas.

6 Para preparar la cobertura, ponga el tomate, el ajo, la albahaca seca, el aceite de oliva, la sal y la pimienta en una sartén, y cuézalo a fuego suave hasta que la salsa se haya espesado. Añada la pasta de tomate y déjelo enfriar.

7 Extienda la salsa por la base de la pizza y disponga por encima las láminas de champiñón y la mozzarella rallada.

8 Ponga la pizza en el horno precalentado a 200 °C y déjela cocer 25 minutos. Justo antes de servirla, decórela con hojas de albahaca fresca.

Minipizzas

Para 8 unidades

INGREDIENTES

1 porción de masa básica para pizza (véase pág. 196)	COBERTURA: 2 calabacines 100 g de *passata* 75 g de panceta cortada en dados	50 g de aceitunas negras, deshuesadas y picadas 1 cucharada de hierbas secas 2 cucharadas de aceite de oliva

1 Ponga la levadura y el azúcar en vaso de medir y mézclelos con 50 ml de agua. Deje la mezcla en un lugar cálido unos 15 minutos, hasta que forme espuma.

2 Mezcle la harina con la sal y haga un hoyo en el centro. Añada el aceite, la mezcla de levadura y el resto del agua. Remueva hasta formar una masa.

3 Pase la masa a una superficie enharinada y trabájela unos 4-5 minutos, hasta que esté suave. Vuelva a ponerla en el cuenco, cúbrala con una lámina de plástico de cocina y déjela fermentar 30 minutos, hasta que haya doblado su tamaño.

4 Trabaje la masa 2 minutos más y forme 8 bolas. Con el rodillo, extienda cada bola de masa bien fina, para formar círculos o cuadrados, y déjelos sobre una bandeja, estirando los bordes hasta obtener un grosor uniforme. La masa no debería tener más de 6 mm de altura, ya que subirá con la cocción.

5 Para la cobertura, ralle los calabacines bien finos. Cúbralo con papel de cocina y déjelo reposar durante 10 minutos, para que el papel absorba un poco la humedad.

6 Reparta luego la *passata* entre las bases de pizzas y ponga encima el calabacín rallado, la panceta y las aceitunas. Sazone con pimienta negra y hierbas mixtas y alíñelo todo con el aceite de oliva.

7 Ponga las minipizzas en el horno precalentado a 200 °C de temperatura y déjelas durante 15 minutos o hasta que estén bien doradas. Una vez las haya sacado del horno, salpimente a su gusto y sírvalas calientes.

Pizza de pimiento asado y salsa de tomate

Para 4 personas

INGREDIENTES

225 g de harina
125 g de mantequilla cortada
   en dados
½ cucharadita de sal
2 cucharadas de queso parmesano
1 huevo batido

2 cucharadas de agua fría
2 cucharadas de aceite de oliva
1 cebolla grande finamente picada
1 diente de ajo picado
1 lata de 400 g de tomate triturado
4 cucharadas de pasta de tomate

1 pimiento rojo partido
   por la mitad
5 ramitas de romero, sin los tallos
6 aceitunas negras, deshuesadas
   y partidas por la mitad
25 g de queso parmesano rallado

1 Tamice la harina y trabájela luego con la mantequilla. Añada la sal, el queso parmesano, el huevo y 1 cucharada de agua, y remuévalo bien. Agregue más agua si fuera necesario, hasta obtener una masa suave. Cúbrala con plástico de cocina y déjela en la nevera unos 30 minutos.

2 Entretanto caliente el aceite en una sartén y fría la cebolla y el ajo durante 5 minutos o hasta que estén dorados. Incorpore el tomate

y rehóguelo 8-10 minutos más. Añada la pasta de tomate.

3 Ponga los pimientos en una bandeja y áselos al grill durante 15 minutos. Póngalos en una bolsa de plástico y déjelos reposar 10 minutos. Quite la piel de los pimientos y corte la carne en tiras delgadas.

4 Extienda la masa con el rodillo hasta que tenga el tamaño adecuado para forrar una base acanalada para tartas de 23 cm de diámetro.

Cúbrala luego con papel de aluminio y hornee la base a 200 °C durante 10 minutos, hasta que empiece a secarse. Retire el papel de aluminio y hornéela 5 minutos más. Déjela enfriar un poco.

5 Ponga la salsa de tomate sobre la base de la pizza y decore con las tiras de pimiento, el tomillo, las aceitunas y el parmesano. Vuelva a ponerla en el horno durante 15 minutos o hasta que la masa esté crujiente. Sírvala caliente o fría.

Pizza calzone

Para 4 pizzas grandes u 8 pequeñas

INGREDIENTES

1 porción de masa básica para pizza (véase pág. 196)
queso parmesano recién rallado, para servir

COBERTURA:
75 g de mortadela o algún otro embutido italiano
50 g de salchicha italiana picada
100 g de mozzarella laminada

50 g de queso parmesano cortado en lonchas
2 tomates cortados en dados
4 cucharadas de orégano fresco
sal y pimienta

1 Ponga la levadura y el azúcar en un vaso de medir, y mézclelos con 50 ml de agua. Deje la mezcla en un lugar cálido unos 15 minutos, o hasta que forme espuma.

2 Mezcle la harina con la sal en un cuenco y haga un hoyo en el centro. Añada el aceite, la mezcla de levadura y el resto del agua. Remuévalo hasta formar una masa.

3 Pase la masa a una superficie enharinada y amásela durante 4-5 minutos o hasta que esté suave. Vuelva a colocarla en el cuenco,

cúbrala con una lámina de plástico de cocina y déjela fermentar 30 minutos, o hasta que haya doblado su tamaño.

4 Retire la masa del cuenco, trabájela 2 minutos más y divídala en 4 trozos. Con un rodillo extienda bien cada porción para formar redondeles. Colóquelos en una bandeja para el horno, estirando los bordes hasta obtener un grosor uniforme. No deberían tener más de 6 mm de altura, ya que subirán con la cocción.

5 Para la cobertura, ponga los embutidos, el queso

parmesano y la mozzarella a un lado de cada redondel. Remate con el tomate y el orégano y salpimente.

6 Pinte los bordes de la masa con un poco de agua y doble la pasta por encima de la cobertura, dándole forma de empanadilla. Pellizque los bordes para sellarlos.

7 Hornee las pizzas a 200 °C de temperatura durante 10-15 minutos. Si son de tamaño pequeño, reduzca el tiempo de cocción a 8-10 minutos. Sírvalas espolvoreadas con queso parmesano recién rallado.

Pizza de salami y queso cremoso

Para 4 personas

INGREDIENTES

250 g de masa de hojaldre, bien fría de la nevera
40 g de mantequilla
1 cebolla roja picada
1 diente de ajo picado

40 g de harina de trigo duro
300 ml de leche
50 g de queso parmesano rallado fino, y un poco más para espolvorear

2 huevos duros cortados en cuartos
100 g de algún tipo de salami, por ejemplo feline, cortado en tiras
sal y pimienta
ramitas de tomillo fresco

1 Doble la lámina de masa de hojaldre por la mitad y rállela gruesa sobre 4 moldes individuales para tartaletas de 10 cm de diámetro. Presione los copos de masa para que queden uniformes y no se vean huecos. Procure que la masa suba por los bordes del molde.

2 Cubra los moldes con papel de aluminio y hornéelos a 220 °C durante 10 minutos. Reduzca luego la temperatura a 200 °C, retire el papel de aluminio y siga horneando otros 15 minutos.

3 Caliente la mantequilla y fría la cebolla y el ajo unos 5-6 minutos, hasta que se hayan ablandado.

4 Incorpore la harina, removiendo bien para recubrir la cebolla. Vaya añadiendo la leche, hasta obtener una salsa espesa. Salpimente generosamente y añada el parmesano. No vuelva a calentarla una vez incorporado el queso o la salsa quedará con grumos.

5 Extienda la salsa sobre las bases del molde y decórelas con el huevo y las tiras de salami.

6 Espolvoree con parmesano extra, vuelva a introducir los moldes en el horno y déjelos 5 minutos.

7 Finalmente, adorne las pizzas con ramitas de tomillo fresco y sírvalas de inmediato.

SUGERENCIA

Esta pizza está igual de buena fría, pero no la prepare con demasiada antelación o la pasta se reblandecerá.

Pan de aceite de oliva con queso

Para 1 pan

INGREDIENTES

15 g de levadura seca
1 cucharadita de azúcar
250 g de agua un poco caliente

350 g de harina de trigo duro
1 cucharadita de sal
3 cucharadas de aceite de oliva

200 g de queso pecorino cortado
en dados
½ cucharada de semillas de hinojo,

1 Mezcle la levadura con el azúcar y 100 ml de agua. Déjelo fermentar unos 15 minutos.

2 Mezcle la harina con la sal. Añada 1 cucharada de aceite, la mezcla de levadura y el resto del agua. Trabaje la masa durante 4 minutos hasta que esté suave.

3 Divida luego la masa en 2 porciones iguales. Extiéndalas con el rodillo para formar un redondel de 6 mm de grosor. Coloque el primero sobre una bandeja para el horno y espolvoréelo con el queso pecorino y las semillas de hinojo de manera uniforme.

4 Coloque el segundo redondel encima y apriete los bordes para que queden sellados y el relleno no se salga durante la cocción.

5 Con un cuchillo, haga unas cuantas incisiones en la superficie de la masa y úntela con el resto de aceite.

6 Espolvoree con el resto de semillas de hinojo y déjela fermentar durante unos 20-30 minutos.

7 Hornee el pan en el horno precalentado a 200 °C durante 30 minutos o hasta que esté dorado. Sírvalo inmediatamente.

SUGERENCIA

El pecorino es un queso duro y bastante salado que se vende en la mayoría de los grandes supermercados y tiendas especializadas. Si no encuentra pecorino, utilice cheddar seco o parmesano.

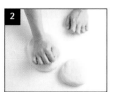

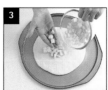

Focaccia romana

Para 16 porciones

INGREDIENTES

7 g de levadura seca

1 cucharadita de azúcar

300 ml de agua un poco caliente

450 g de harina de trigo duro

2 cucharaditas de sal

3 cucharadas de romero picado

2 cucharadas de aceite de oliva

450 g de mezcla de cebolla
blanca y roja, cortada en aros

4 dientes de ajo cortados en
láminas

1 Ponga la levadura y el azúcar en un bol pequeño y mézclelos con 100 ml de agua. Déjelos fermentar en un lugar cálido durante 15 minutos.

2 Mezcle la harina con la sal en un cuenco grande. Añada la mezcla de levadura, la mitad del romero y el resto del agua, y remuévalo hasta formar una masa suave. Trabájela durante 4 minutos.

3 Cubra luego la masa con plástico de cocina engrasado y déjela fermentar unos 30 minutos o hasta que haya doblado su tamaño.

4 Entretanto caliente el aceite en una sartén y sofría la cebolla y el ajo 5 minutos o hasta que se hayan ablandado. Cubra la sartén y déjela en el fuego otros 7-8 minutos, hasta que la cebolla esté ligeramente caramelizada.

5 Retire la masa del cuenco y trabájela durante 1-2 minutos más.

6 Extienda la masa con el rodillo para darle forma cuadrada. No debería tener más de 6 mm de grosor, ya que subirá durante la cocción. Ponga la masa en una bandeja de hornear grande, estirando los bordes hasta obtener un grosor uniforme.

7 Extienda la cebolla sobre la masa y luego espolvoree con el resto de romero.

8 Cueza la focaccia romana en el horno precalentado a 200 ºC durante 25-30 minutos, o hasta que esté dorada. Córtela en 16 trozos y sírvala inmediatamente.

Pan de tomates secados al sol

Para 1 pan

INGREDIENTES

7 g de levadura seca
1 cucharadita de azúcar
300 ml de agua un poco caliente

1 cucharadita de sal
2 cucharaditas de albahaca seca
450 g de harina de trigo duro

2 cucharadas de pasta
de tomates secados al sol
12 tomates secados al sol, en tiras

1 Ponga la levadura y el azúcar en un cuenco, y mézclelos con 8 cucharadas de agua. Deje reposar la mezcla en un lugar cálido durante 15 minutos para que fermente.

2 Ponga la harina en un cuenco y añada la sal. Haga un hoyo en el centro y añada la albahaca, la mezcla de levadura, la pasta de tomate y la mitad del agua restante. Mezcle la harina con el líquido hasta formar una masa y añada poco a poco el resto de agua.

3 Pase la masa a una superficie en harinada y trabájela durante 5 minutos.

Cúbrala con plástico de cocina y déjela fermentar en un lugar cálido durante 30 minutos o hasta que haya doblado su tamaño.

4 Engrase ligeramente un molde para bizcochos de 900 g de capacidad.

5 Retire la masa y vaya incorporando las tiras de tomate a medida que la trabaja. Siga amasándola de 2 a 3 minutos más.

6 Coloque la masa en el molde y déjela fermentar durante unos 30-40 minutos. Una vez haya doblado de nuevo su tamaño, hornéela a 190 °C

30-35 minutos o hasta que el pan esté dorado y la base suene a hueco al golpearla.

SUGERENCIA

Con esta receta puede preparar unos panes en miniatura para los niños. Divida la masa en 8 porciones iguales, déjelas fermentar y hornee los pequeños panes durante 20 minutos. También puede formar 12 panecillos, dejarlos fermentar y hornearlos durante 12-15 minutos.

Pan de pimientos asados

Para 4 personas

INGREDIENTES

1 pimiento rojo, partido por la mitad y sin semillas	2 ramitas de romero	300 ml de agua un poco caliente
1 pimiento amarillo, partido por la mitad y sin semillas	1 cucharada de aceite de oliva	450 g de harina de trigo duro
	7 g de levadura seca	1 cucharadita de sal
	1 cucharadita de azúcar	

1 Engrase un molde hondo y redondo de 23 cm de diámetro.

2 Ponga los pimientos y el romero en una bandeja de hornear plana, vierta encima el aceite y áselos luego en el horno a 200 °C unos 20 minutos o hasta que estén un poco chamuscados. A continuación, quite la piel de los pimientos y córtelos en tiras.

3 Ponga la levadura y el azúcar en un cuenco, y mézclelos con 8 cucharadas de agua. Deje la mezcla en un lugar cálido unos 15 minutos para que fermente.

4 Mezcle la harina con la sal en un cuenco. Añada la mezcla de levadura y el agua restante, y remuévalo hasta formar una masa suave.

5 Amásela unos 5 minutos. Cúbrala con plástico de cocina engrasado y déjela fermentar en un lugar cálido durante 30 minutos o hasta que haya doblado su tamaño.

6 Divida luego la masa en 3 porciones. Con el rodillo, extienda las porciones en forma circular, de un tamaño superior al del molde.

7 Coloque un redondel en la base del molde de

modo que suba unos 2,5 cm por los bordes. Cubra con la mitad de la mezcla de pimiento.

8 Coloque el segundo círculo de masa encima y cúbralo con la otra mitad de mezcla de pimiento. Añada el último redondel de masa, empujando los bordes hacia los lados del molde.

9 Cúbralo con plástico de cocina y déjelo fermentar 30-40 minutos. Ponga el pan en el horno precalentado y cuézalo durante 45 minutos o hasta que la base suene a hueco al golpearla. Sírvalo caliente.

Tarta verde de Pascua

Para 4 personas

INGREDIENTES

2 cucharadas de aceite de oliva	125 ml de vino blanco	4 huevos batidos
1 cebolla picada	50 g de queso parmesano rallado	3 cucharadas de mejorana
2 dientes de ajo picados	100 g de guisantes congelados,	fresca, picada
200 g de arroz arborio	ya descongelados	50 g de pan rallado
700 ml de caldo caliente, de pollo	80 g de ruqueta	sal y pimienta
o de verduras	2 tomates cortados en dados	

1 Engrase ligeramente y después forre la base de un molde hondo de unos 23 cm de diámetro.

2 Con un cuchillo afilado, pique la ruqueta gruesa.

3 Caliente el aceite en una sartén y fría la cebolla y el ajo durante 4-5 minutos, o hasta que se hayan ablandado.

4 Incorpore el arroz a la mezcla de la sartén, remuévalo bien y empiece a añadir el caldo, un cucharón cada vez. Espere hasta que el arroz haya absorbido el líquido antes de añadir el siguiente cucharón de caldo.

5 Siga cociendo la mezcla, agregándole el vino, hasta que el arroz esté tierno. Tardará como mínimo unos 15 minutos.

6 Añada el parmesano, los guisantes, la ruqueta, el tomate, los huevos y 2 cucharadas de mejorana. Sazone luego a su gusto con sal y pimienta.

7 Pase el risotto al molde y alise la superficie presionando con el dorso de una cuchara de madera.

8 Remate con el pan rallado y el resto de mejorana.

9 Ponga la tarta en el horno precalentado a 180 °C y déjela durante 30 minutos, o hasta que haya cuajado. A continuación, córtela en porciones y sírvala inmediatamente.

Empanada de espinacas y ricota

Para 4 personas

INGREDIENTES

225 g de espinacas	2 huevos grandes batidos	250 g de masa de hojaldre
25 g de piñones	50 g de almendras molidas	1 huevo pequeño batido
100 g de queso ricota	40 g de queso parmesano rallado	

1 Lave las espinacas y cuézalas durante unos 4-5 minutos, hasta que se hayan ablandado. Cuando estén lo suficientemente frías para tocarlas, estrújelas para eliminar el exceso de agua.

2 Extienda los piñones sobre una bandeja para el horno y tuéstelos al grill durante 2-3 minutos o hasta que estén dorados.

3 Ponga la ricota, las espinacas y los huevos en un cuenco y mézclelos. Añada los piñones, bata bien y a continuación incorpore la almendra molida y el queso parmesano.

4 Con el rodillo, extienda la masa de hojaldre y forme 2 cuadrados de 20 cm. Recorte los bordes y reserve los recortes de masa.

5 Coloque 1 cuadrado de masa en una bandeja de hornear. Extienda el relleno de espinacas por encima, dejando un reborde libre de 12 mm. Pinte los bordes con huevo batido y coloque el segundo recuadro de masa encima.

6 Selle los bordes de la masa presionando ligeramente. Forme unas hojas decorativas en la superficie de la empanada con los recortes de masa.

7 Pinte la empanada con el huevo batido y hornéela a 220 °C durante 10 minutos. Reduzca luego la temperatura a 190 °C y déjela 25-30 minutos más. Sirva la empanada caliente.

SUGERENCIA

Las espinacas llevan mucho hierro. Son un alimento especialmente indicado para las mujeres y las personas con un bajo nivel de hierro.

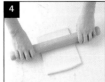

Postres

A los italianos les encantan los postres, pero cuando
celebran alguna ocasión especial es cuando realizan un
mayor esfuerzo y hacen un alarde de sus habilidades.
Los sicilianos tienen fama de ser los más golosos, y se
cree que muchos de los postres italianos tuvieron su
origen en la isla. Le costaría mucho superar un helado
siciliano: ¡realmente son los mejores del mundo!

La fruta fresca forma parte de muchos postres italianos;
es habitual por ejemplo pelar unas naranjas y servirlas
enteras, maceradas en un aromático almíbar y licor. Para
un delicioso postre afrutado, pruebe el pastel siciliano de
naranja y almendra, la macedonia de naranja y pomelo
o el embriagador sabor de los melocotones macerados.

El chocolate también es popular en Italia: pruebe
el pastel de chocolate y el clásico tiramisú para finalizar
una buena comida. Sean cuales sean sus preferencias,
seguro que encontrará algún postre italiano que
le tentará: ¡nunca quedará decepcionado!

Pudín italiano de pan

Para 4 personas

INGREDIENTES

15 g de mantequilla
2 manzanas pequeñas de postre,
peladas, sin corazón y
cortadas en aros
75 g de azúcar granulado

2 cucharadas de vino blanco
100 g de rebanadas de pan sin
la corteza (una baguette
francesa del día anterior
resulta ideal)

300 ml de nata líquida
2 huevos batidos
la piel de 1 naranja cortada
en tiras muy finas

1 Engrase ligeramente
con la mantequilla una
fuente refractaria honda, con
capacidad para 1,2 litros.

2 Disponga las rodajas de
manzana sobre la base
de la fuente y espolvoree
con la mitad del azúcar.

3 Vierta el vino sobre
la manzana. Añada
las rebanadas de pan,
presionando ligeramente
con las manos para
aplanarlas un poco.

4 Mezcle bien la nata
líquida con los huevos,
el resto del azúcar y la piel

de naranja, y vierta la
mezcla sobre el pan. Déjelo
reposar unos 30 minutos.

5 Hornee el pudín en el
horno precalentado a
180 °C durante 25 minutos,
o hasta que esté dorado y
haya cuajado. Sírvalo caliente.

VARIACIÓN

*Para variar, añada fruta seca
al pudín, como albaricoques,
cerezas o dátiles,
si así lo desea.*

SUGERENCIA

*La nata líquida es la variedad
más común para cocinar.
Recuerde que no tiene que
hervirla o se formarán grumos.
Además, siempre es mejor
añadir líquidos calientes a la
nata líquida y no a la inversa,
para evitar la formación de
grumos. La nata líquida
corriente tiene un contenido
graso del 18 por ciento.*

Pudín de la Toscana

Para 4 personas

INGREDIENTES

15 g de mantequilla	3 yemas de huevo	la ralladura fina de 1 naranja,
75 g de frutas secas mixtas	50 g de azúcar lustre	y un poco más para decorar
250 g de queso ricota	1 cucharadita de canela	nata fresca espesa, para servir

1 Engrase ligeramente 4 flaneras o tarrinas con la mantequilla.

2 Coloque la fruta seca en un cuenco y cúbrala bien con agua caliente. Déjela en remojo durante unos 10 minutos.

3 Bata el queso ricota con las yemas de huevo en un cuenco. Añada luego el azúcar lustre, la canela y la piel de naranja, y mezcle todo bien.

4 A continuación, cuele la fruta seca y añádala a la mezcla de ricota.

5 Rellene las flaneras con la mezcla.

6 Hornee los púdines en el horno a 180 °C durante 15 minutos. La parte superior debe quedar firme, pero no dorada.

7 Decore los flanes con la ralladura de naranja y sírvalos, ya sean calientes o fríos, acompañados de una cucharada de nata fresca espesa.

SUGERENCIA

Este tipo de nata fresca tiene un sabor ligeramente agrio y es muy espesa. Es adecuada para cocinar, y tiene el mismo contenido graso que la nata líquida. Puede prepararla mezclando suero de leche cultivado con nata líquida y dejando la mezcla en la nevera toda la noche.

VARIACIÓN

Utilice fruta fresca de su elección para preparar esta deliciosa receta.

Natillas

Para 4 personas

INGREDIENTES

450 ml de nata líquida
100 g de azúcar lustre
1 naranja

2 cucharaditas de nuez moscada
rallada
3 huevos grandes batidos

1 cucharada de miel
1 cucharadita de canela

1 Ponga la nata líquida y el azúcar en un cazo, y caliéntelos a fuego lento, removiendo, hasta que el azúcar esté caramelizado.

2 Ralle la mitad de la piel de la naranja bien fina y añada la ralladura al cazo, junto con la nuez moscada.

3 Incorpore los huevos y caliéntelo todo a fuego lento unos 10-15 minutos, sin dejar de remover. Las natillas acabarán espesándose.

4 Cuele las natillas con un colador fino sobre 4 cazuelitas de postre. Déjelas enfriar en la nevera unas 2 horas.

5 Entretanto pele la otra mitad de la naranja y corte la piel en finas tiras.

6 Ponga la miel y la canela en un cazo, con 2 cucharadas de agua, y caliéntelas a fuego lento. Incorpore la ralladura de naranja al cazo y caliéntelo otros 2-3 minutos, removiendo, hasta que la mezcla se caramelice.

7 Vierta la mezcla en un cuenco y separe la ralladura de naranja. Déjala enfriar hasta que haya cuajado.

8 Una vez cuajadas las natillas, decórelas con la piel de naranja caramelizada y ya estarán listas para servir.

SUGERENCIA

Las natillas se conservarán 1-2 días en la nevera. Decórelas con la ralladura de naranja caramelizada justo antes de servirlas.

Pastel siciliano de naranja y almendra

Para 8 personas

INGREDIENTES

4 huevos, las yemas separadas de las claras	25 g de harina de fuerza	200 ml de nata para montar
la ralladura fina y el zumo de 1 limón	125 g de azúcar lustre, y 2 cucharaditas más para la nata	1 cucharadita de canela
125 g de almendras molidas	la ralladura fina y el zumo de 2 naranjas	25 g de almendras tostadas fileteadas
		azúcar glas, para espolvorear

1 Engrase y forre la base de un molde hondo para pasteles de 18 cm de diámetro.

2 Bata las yemas de huevo con el azúcar hasta que la mezcla quede cremosa. Añada a ésta la mitad de la ralladura de naranja y toda la del limón.

3 Mezcle el zumo de ambas naranjas y del limón con la almendra molida, y añádalo a las yemas de huevo. La mezcla estará muy líquida en este punto. Añada la harina.

4 Bata las claras de huevo a punto de nieve y, con cuidado, incorpórelas en la mezcla.

5 A continuación, ponga la mezcla en el horno a 180 ºC y déjela durante 35-40 minutos, o hasta que el pastel quede bien dorado y esponjoso. Déjelo enfriar 10 minutos y luego sáquelo del molde.

6 Monte la nata hasta que forme picos suaves. Luego, incorpore el resto de la ralladura de naranja junto con la canela y el azúcar.

7 Una vez esté frío, recubra el pastel con las almendras fileteadas, espolvoréelo con el azúcar glas y sírvalo con la nata.

VARIACIÓN

Puede servir este pastel con un almíbar. Hierva el zumo y la ralladura fina de 2 naranjas con 75 g de azúcar lustre y 2 cucharadas de agua durante 5-6 minutos. Añádale 1 cucharadita de licor de naranja justo antes de servirlo.

Macedonia de naranja y pomelo

Para 4 personas

INGREDIENTES

2 pomelos, rosados o amarillos	4 cucharadas de miel fluida	1 ramita de menta, picada gruesa
4 naranjas	2 cucharadas de agua caliente	50 g de nueces picadas
la ralladura y el zumo de 1 lima		

1 Con un cuchillo afilado, rebane la parte superior e inferior de los pomelos y a continuación quíteles la piel, así como la pulpa blanca.

2 Corte los gajos por el centro, para que quede sólo la parte carnosa.

3 Con un cuchillo afilado, rebane la parte superior e inferior de las naranjas, y a continuación quíteles la piel y la pulpa blanca.

4 Corte los gajos por el centro, para que quede sólo la parte carnosa. Mezcle la naranja con el pomelo.

5 Ponga la ralladura y 2 cucharadas de zumo de lima, la miel y el agua caliente en un bol pequeño. Bátalo con un tenedor.

6 Vierta la mezcla sobre los gajos de fruta, añada las hojas de menta picadas y mezcle todo bien. Déjelo enfriar en la nevera 2 horas, para que los sabores maduren.

7 Coloque las nueces picadas sobre una bandeja para el horno y tuéstelas ligeramente al grill, a temperatura media, durante 2-3 minutos o hasta que estén doradas.

8 Finalmente, espolvoree la macedonia con las nueces tostadas y sírvala.

VARIACIÓN

En lugar de nueces puede espolvorear la macedonia con almendras, anacardos, avellanas o pacanas tostadas, si así lo prefiere.

Zabaglione

Para 4 personas

INGREDIENTES

5 yemas de huevo	150 ml de vino de Marsala o jerez	galletas *amaretti*, para servir
100 g de azúcar lustre	dulce	(opcional)

1 Ponga las yemas de huevo en un cuenco grande.

2 Añada el azúcar y bata hasta que la mezcla esté espesa, haya adquirido un color muy pálido y doblado su volumen.

3 Deposite el bol con la mezcla sobre una cazuela con agua caliente, a fuego suave.

4 Agregue el vino de Marsala o el jerez a la mezcla de huevo y azúcar, y siga batiendo hasta que la combinación espumosa esté caliente. Puede tardar hasta 10 minutos.

5 Vierta la mezcla, que debería estar espumosa y ligera, en 4 copas de postre.

6 Sirva el *zabaglione* caliente, con fruta fresca o unas galletas *amaretti*, si así lo desea.

VARIACIÓN

Puede utilizar algún otro tipo de licor en lugar del vino de Marsala o jerez dulce, si así lo prefiere. Acompañe el zabaglione con frutas blandas, como fresas o frambuesas: ¡una combinación deliciosa!

VARIACIÓN

Puede preparar el zabaglione semifreddo siguiendo el mismo método de la receta, y después seguir batiendo la espuma mientras el cuenco descansa sobre agua fría. Monte 150 ml de nata, incorpórela a la espuma del zabaglione y déjelo en el congelador unas 2 horas o hasta que se congele.

Mousse de mascarpone

Para 4 personas

INGREDIENTES

450 g de queso mascarpone
100 g de azúcar lustre
4 yemas de huevo

400 g de frutas estivales
congeladas, como frambuesas
o grosellas

grosellas, para decorar
galletas *amaretti*, para servir

1 Ponga el mascarpone en un cuenco grande y aplástelo con una cuchara de madera hasta que quede suave.

2 Agregue las yemas de huevo y el azúcar al queso, mezclándolos bien. Déjelo en el congelador alrededor de 1 hora.

3 Ahora, ponga una capa de mezcla de queso mascarpone en la base de 4 platos individuales de postre. Deposite una capa de frutas encima, y repita las capas, reservando un poco de la mezcla de mascarpone para la parte superior.

4 Deje enfriar las mousses en la nevera durante unos 20 minutos. La fruta debería estar aún ligeramente congelada.

5 Sirva las mousses con unas galletas *amaretti*.

VARIACIÓN

Pruebe a añadir 3 cucharadas de su licor favorito a la mezcla de mascarpone en el paso 1, si lo prefiere.

SUGERENCIA

El mascarpone (que a veces aparece escrito como mascherpone*) es un queso italiano suave y cremoso. Cada vez es más popular, así que no tendrá problema para encontrarlo en los grandes supermercados o tiendas especializadas.*

Pastel de mascarpone al limón

Para 8 personas

INGREDIENTES

50 g de mantequilla sin sal
150 g de migas de galletas de
jengibre
25 g de jengibre confitado, picado

500 g de queso mascarpone
la ralladura fina y el zumo
de 2 limones
100 g de azúcar lustre

2 huevos grandes, las yemas
separadas de las claras
culís de fruta (véase *Sugerencia*),
para servir

1 Engrase y forre la base de un molde desmontable de unos 25 cm de diámetro.

2 Derrita la mantequilla en un cazo y añada las migas de galleta de jengibre y el jengibre picado. Forre con esta mezcla la base del molde, presionándola para que suba unos 6 mm por los costados.

3 Bata el queso con la ralladura y el zumo del limón, el azúcar y las yemas de huevo, hasta que estén suaves.

4 Bata las claras de huevo a punto de nieve y luego incorpórelas a la mezcla de queso y limón.

5 Vierta la mezcla en el molde y póngalo en el horno precalentado a 180 °C unos 35-45 minutos, o hasta que el pastel haya cuajado. No se preocupe si se agrieta o baja, suele ocurrir a menudo.

6 Para finalizar, deje enfriar el pastel en el molde y sírvalo acompañado de un culís de fruta (véase *Sugerencia*).

SUGERENCIA

Para preparar un culís de fruta, hierva durante 5 minutos 400 g de fruta, como por ejemplo arándanos, con 2 cucharadas de agua. Cuele la mezcla y añada 1 cucharada (o más) de azúcar glas tamizado. Déjelo enfriar antes de servirlo.

VARIACIÓN

Puede emplear queso ricota en lugar de mascarpone para preparar un pastel igualmente delicioso, pero tendrá que colarlo antes para eliminar los grumos.

Tiramisú

Para 6 personas

INGREDIENTES

300 g de chocolate negro
150 ml de nata líquida espesa,
montada

400 ml de café con 50 g de
azúcar lustre, enfriado
6 cucharadas de ron oscuro
o brandy

36 melindros, en total unos 400 g
cacao en polvo, para espolvorear
400 g de queso mascarpone

1 Derrita el chocolate en un cuenco depositado sobre un cazo de agua caliente, removiendo de vez en cuando. Deje enfriar un poco el chocolate y a continuación mézclelo con el mascarpone y la nata líquida.

2 Mezcle el café con el ron en un bol. Sumerja brevemente los melindros en la mezcla de forma que absorban el líquido pero sin que lleguen a reblandecerse.

3 Coloque 3 melindros en 3 platos de postre.

4 Extienda una capa de la mezcla de mascarpone y chocolate sobre la superficie de los melindros.

5 Coloque 3 melindros más sobre la capa de mascarpone. Extienda una capa más de mascarpone y chocolate, y deposite 3 melindros encima.

6 Deje enfriar el tiramisú en la nevera como mínimo 1 hora. Espolvoréelo con un poco de cacao en polvo justo antes de servirlo.

SUGERENCIA

Puede servir el tiramisú semicongelado, como si fuese un helado. Congélelo 2 horas y sírvalo inmediatamente, ya que se descongela muy rápido.

VARIACIÓN

Pruebe a añadir 50 g de avellanas tostadas picadas a la mezcla de chocolate en el paso 1, si así lo desea.

Pastel de chocolate

Para 16 porciones

INGREDIENTES

150 g de chocolate negro	2 cucharaditas de canela	50 g de albaricoques secos que
75 g de mantequilla sin sal	75 g de almendras	no precisen remojo, picados
1 lata de 210 g de leche condensada	75 g de galletas *amaretti* troceadas	gruesos

1 Forre un molde de bizcocho redondo, con capacidad para 675 g, con papel de aluminio.

2 Pique las almendras gruesas.

3 Ponga el chocolate, la mantequilla, la leche condensada y la canela en un cazo. Caliente a fuego suave durante 3-4 minutos, removiendo, hasta que el chocolate se haya fundido. Bata bien la mezcla.

4 Incorpore la almendra, las migas de galleta y los albaricoques a la mezcla de chocolate, removiendo con una cuchara de madera hasta que los ingredientes estén bien mezclados.

5 Vierta la mezcla en el molde preparado y déjelo en la nevera 1 hora o hasta que haya cuajado.

6 Finalmente, corte el pastel de chocolate en porciones y sírvalo.

SUGERENCIA

Para derretir el chocolate trocéelo primero. Cuanto más pequeños sean los trozos, más rápidamente se fundirán.

SUGERENCIA

De todas las grasas, la mantequilla es la que tiene un sabor más agradable para los postres. Es mejor usar mantequilla sin sal, a no ser que la receta indique lo contrario. Las grasas "bajas en calorías" no son adecuadas para hacer postres.

Pastel de pera y jengibre

Para 4-6 personas

INGREDIENTES

200 g de mantequilla sin sal ablandada	175 g de harina de fuerza, tamizada	450 g de peras de postre, peladas, sin corazón y en rodajas
175 g de azúcar lustre	3 cucharaditas de jengibre	1 cucharada de azúcar moreno fino
	3 huevos batidos	

1 Engrase ligeramente y forre la base de un molde hondo para pastel de 20,5 cm de diámetro.

2 Bata la mantequilla junto con el azúcar, la harina, el jengibre y los huevos hasta que tengan una consistencia suave.

3 Pase la mezcla al molde preparado y alise la superficie.

4 A continuación, disponga las rodajas de pera sobre la superficie, espolvoree con el azúcar moreno y añada encima unos puntitos de mantequilla.

5 Ponga el pastel en el horno precalentado a 180 °C y déjelo durante 35-40 minutos, o hasta que esté bien dorado y esponjoso al tacto.

6 Sirva el pastel caliente, acompañado de helado o nata, si lo desea.

SUGERENCIA

Para comprobar si el pastel está hecho, inserte un pincho de cocina metálico en el centro. Si sale limpio quiere decir que el pastel que ya está cocido.

SUGERENCIA

A este tipo de azúcar moreno fino a veces se le llama azúcar de Barbados. Su color es un poco más oscuro.

Melocotones al vino blanco

Para 4 personas

INGREDIENTES

2 cucharadas de azúcar glasé tamizado	200 ml de vino blanco, semiseco o dulce, frío de la nevera	4 melocotones grandes maduros la piel y el zumo de 1 naranja

1 Con un cuchillo afilado corte los melocotones por la mitad y extraiga el hueso. Pele los melocotones, si lo prefiere. Córtelos en gajos muy finos.

2 Ponga los gajos de melocotón en una ensaladera y espolvoréelos con el azúcar.

3 Con un cuchillo afilado, pele la naranja muy fina y corte la piel en tiras muy delgadas. Póngalas en un bol con agua fría y resérvelas.

4 Exprima el zumo de la naranja y viértalo sobre los melocotones, junto con el vino.

5 Deje macerar y enfriar los melocotones en la nevera como mínimo durante 1 hora.

6 Retire la piel de naranja del agua fría y séquela con papel absorbente.

7 A continuación, decore los melocotones con las tiras de piel de naranja y sírvalos inmediatamente.

SUGERENCIA

La mejor manera de pelar un cítrico de forma fina es usar un pelador de patatas.

SUGERENCIA

No hay ninguna necesidad de utilizar un vino caro, así que no tiene por qué resultar un postre costoso.

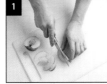

Helado de vainilla

Para 4-6 personas

INGREDIENTES

600 ml de nata líquida espesa
1 vaina de vainilla

la peladura fina de 1 limón
4 huevos batidos

2 yemas de huevo
175 g de azúcar lustre

1 Ponga la nata líquida en un cazo de base gruesa y caliéntela a fuego suave, batiendo con un batidor manual. Agregue la vaina de vainilla, la piel del limón, los huevos y las yemas, y siga calentando la mezcla hasta que llegue casi al punto de ebullición.

2 Luego, reduzca la temperatura y deje la mezcla en el fuego otros 8-10 minutos más, sin dejar de batir, hasta que se espese.

3 Añádale el azúcar y déjela reposar y enfriar.

4 Cuele la mezcla con un colador.

5 Abra la vaina de vainilla, extraiga las semillas y añádalas a la mezcla.

6 Vierta la mezcla en un recipiente, tápelo y déjelo en el congelador toda la noche, para que cuaje, y ya estará listo para servir.

SUGERENCIA

Los helados son uno de los postres tradicionales de Italia. Todo el mundo los come. Existe una amplia variedad de sabores y se sirven generalmente en cornetes, bolas o incluso rebanadas de helado.

SUGERENCIA

Para preparar un helado tutti frutti, elija 100 g de frutas secas variadas, como pasas, cerezas y albaricoques, y póngalas en remojo en 2 cucharadas de vino de Marsala o jerez dulce durante 20 minutos. Siga esta misma receta, omitiendo la vaina de vainilla y añadiéndole la fruta remojada en el paso 5, justo antes de ponerlo en el congelador.

Granizados

Para 4 personas

INGREDIENTES

GRANIZADO DE LIMÓN:
3 limones
200 ml de zumo de limón
100 g de azúcar lustre
500 ml de agua fría

GRANIZADO DE CAFÉ:
2 cucharadas de café instantáneo
2 cucharadas de azúcar
2 cucharadas de agua caliente
600 ml de agua fría
2 cucharadas de ron o brandy

1 Para el granizado de limón ralle la piel del limón bien fina. Ponga la ralladura, el zumo y el azúcar lustre en un cazo. Llévelo a ebullición 5-6 minutos, o hasta que esté espeso. Deje enfriar.

2 Agregue el agua fría y vierta la mezcla en un recipiente tapado. Congele el granizado 4-5 horas, removiéndolo de vez en cuando para romper los cristales de hielo. Sírvalo como refresco entre dos platos de una comida.

3 Para hacer el granizado de café ponga éste junto con el azúcar en un bol y vierta encima el agua caliente, removiendo hasta que se hayan disuelto.

4 Agregue el agua fría y el ron o brandy.

5 Vierta la mezcla en un recipiente tapado. Congele el granizado unas 6 horas, removiendo cada 1-2 horas para crear una textura granulada. Sírvalo con nata líquida después de la comida, si así lo desea.

SUGERENCIA

Si prefiere una versión sin alcohol del granizado de café, simplemente omita el ron o el brandy y añada un poco más de café instantáneo.

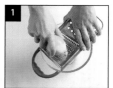

Índice